Heibonsha Lib

大杉栄セレクション

平凡社ライブラリー

Heibonsha Library

大杉栄セレクション

大杉栄著
栗原康編

平凡社

【編集付記】

・本書の定本には、『大杉栄全集』（ぱる出版、二〇一五年）、飛鳥井雅道編『大杉栄評論集』（岩波文庫、一九九六年）などを用いた。
・初出は各作の文末に示した。
・原則として漢字は旧字体を新字体に、かなづかいは現代かなづかいに統一し、必要に応じて読みがなを付した。
・漢字語のうち、代名詞・副詞・接続詞など、使用頻度の高いものを一定の基準により、ひらがなに改めた。また、同じ理由により最小限の句読点を加えた。
・カタカナ表記の人物名は読みやすさに配慮し、現代の通例に改めた。
・今日では不当・不適切と思われる差別的用語や表現については、作品の時代的な背景を考慮し、原文のままとした。

目次

創作

アナキズム

労働運動論

ロシア革命論

創作

19歳頃の大杉栄（右から３人目）。明治36（1903）年頃

春三月縊《くび》り残され花に舞う

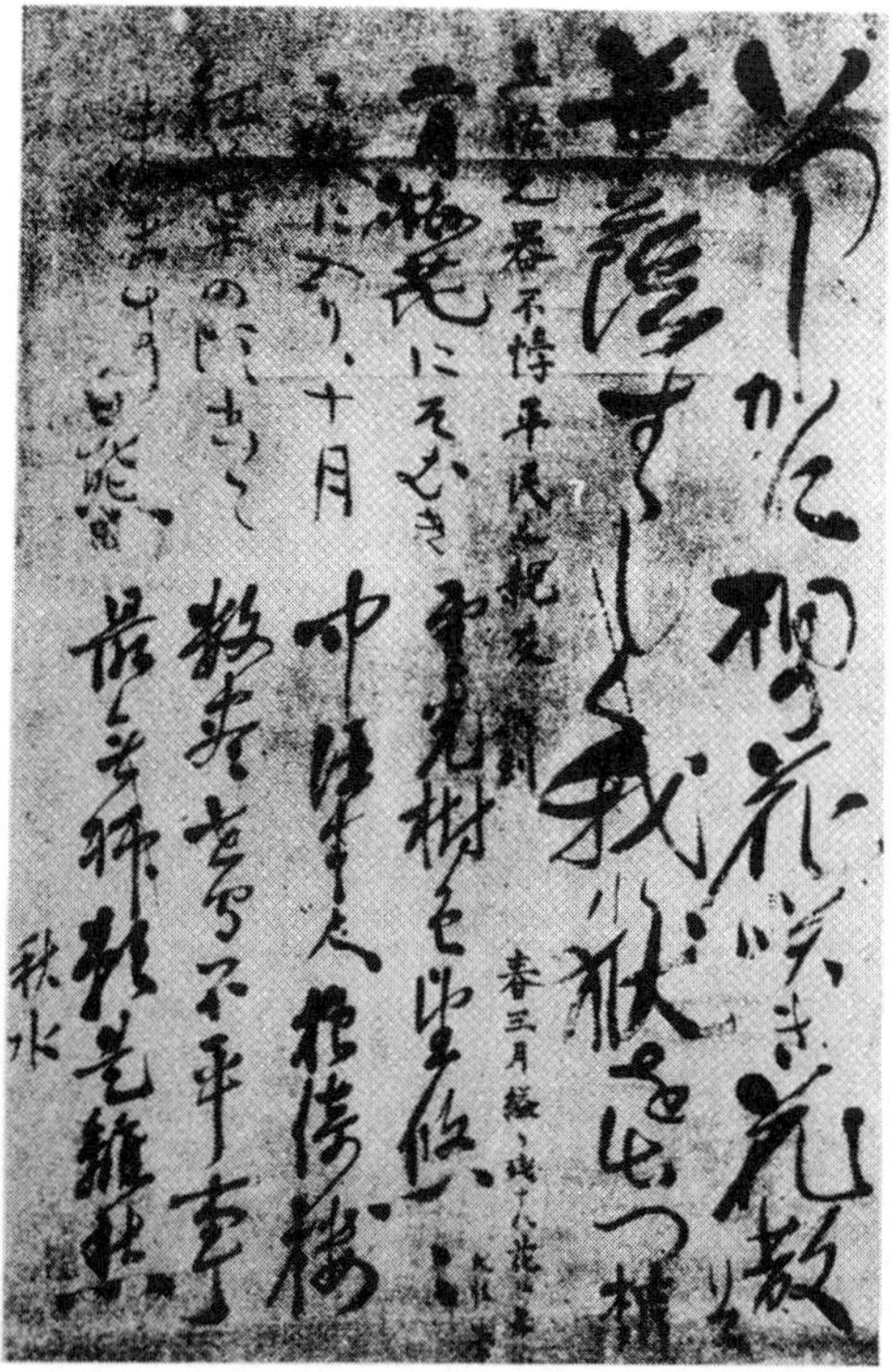

（一九一一年三月二十四日　茶話会にて）

野獣

また、向う側の監房で、荒れ狂う音がする、
怒鳴り声がする、歌を唱う、
壁板を叩いて騒ぎ立てる。
それでも役人は、知らん顔をしてほうって置く。

いくど減食を食っても、
暗室に閉じこめられても、
鎖りづけにされても、
やっぱり依然として騒ぎ出すので、
役人ももう何《な》んとも手のつけようがなくなったのだ。

まるで気ちがいだ、野獣だ。

だが俺は、この気ちがい、この野獣が、羨ましくって仕方がない。

そうだ!! 俺は、もっともっと馬鹿になる、修業をつまなければならぬ。

『近代思想』第一巻第一二号、一九一三年九月一日

むだ花

生は永久の闘いである。
自然との闘い、社会との闘い、他の生との闘い、
永久に解決のない闘いである。

闘え。
闘いは生の花である。
みのり多き生の花である。

自然力に屈服した生のあきらめ、
社会力に屈服した生のあきらめ、

かくして生の闘いを回避した
みのりなき生の花は咲いた。
宗教がそれだ。
芸術がそれだ。

むだ花の蜜をのみあさる虫けらの徒よ。

『近代思想』第一巻第一一号、一九一三年八月一日

こい願うものは何物も与えられず、
強請するものは少しく与えられ、
強奪するものはすべてを与えられる

大杉栄

腹がへったあ！　Si vis pacem, para bellum.

或日《あるひ》。

A、お互いに仲善く暮してるんで嬉しいよ。見給《たま》え、今日こんな善い棒を買った。

B、本当に善い棒だ。頭あぶち破るには持って来いだ。お互いに仲の善いのはお目出度《めでた》いよ。俺《お》れも一ツそんな棒を買って来よう。

数日後。

A、あの棒は野蛮人に遣《や》っちゃった。考えて見りゃ、棒で殴り合うなんて、あんまりひどいからなあ。その代りこんどは剣を買って来た。棒よりゃ振回わすにも楽だし、見た処もよっぽど立派だ。こうして皆んな仲善くして暮してるんで何《な》によりだよ。

B、成程《なるほど》こりゃ善い剣だ。俺れも早速買って来るとしよう。尤《もっと》もウチには金が無くって困ってるんだが……

また数日後。

A、オイ、早く見に来いよ。こんどは鉄砲を買って来た。剣なんかより何れ程《どれほど》有力《まし》だか知れやしない。しかしまあ蔵《しま》って置こう……お互いに平和に暮してるんだからねえ。

B、善い鉄砲だなあ。俺れも一つ買って来よう。

B家に帰り、その妻に向い、

B、鉄砲を買うんだから少し金をくれい。

妻、鉄砲? お前さん、気でも狂いやしないかえ。ウチにゃ子供の着物を買う金もありゃしないんだよ。

B、じゃ少し借りて来いよ。

妻、だって、もう質に置くにも、何《な》んにも剝《は》ぐものあないんだもの。

B、今に子供共が大きくなったら、俺達の借金を返してくれらあ。早く何処かへ行って借りて来い。

子供等泣き叫ぶ。

腹がへったあ!

B、黙れ、餓鬼共! 手前達ゃ餓え死するまで腹へらしていりゃ善いんだ。愚図《ぐず》愚図ぬかすとぶち殺すぞ。

母と子供等と相抱いて泣く。
腹がへったあ！

『近代思想』第一巻第七号、一九一三年四月一日

アナキズム

1

近代思想

第一巻 第一號

愚かなるものよ

愚かなる。
太陽を捕へ、其の日光を、
縄をもつて縛しめむとする。

風に乗り、あるはまた、
走る流れに逆らはむとする。
四季を阻みて、降る雨を止めむとする。

空氣と戰ふ心猛さよ。
ありとある力を、愚に儀にせむ。
かゝるに同しく、かゝる業より更に愚かなる。

人の言ふ所を咎め、そを強ひて敢に澁はさんとする。
定めを人の上に立て、
物言ふも、そを語へしめぬ。

さなり、人の口を塞かむこと、
吹く風を捕ふるよりも難きものを。
愚かなるものよ。

大正元（1912）年に創刊された、雑誌「近代思想」第1巻第1号

奴隷根性論

一

斬《き》り殺されるか、焼き殺されるか、或《あるい》はまた食い殺されるか、いずれにしても必ずその身を失うべきはずの捕虜が、生命だけは助けられて苦役につかせられる。一言にしていえば、これが原始時代における奴隷の起源の最も重要なるものである。

かつては敵を捕えればすぐさまその肉を食らった赤色人種も、後には暫《しばら》くこれを生かしておいて、部落中寄ってたかって、てんでに小さな炬火《きよか》を以て火炙《ひあぶり》にしたり、或は手足の指を一本一本切り放ったり、或は灼熱した鉄の棒を以て焼き焦したり、或は小刀を以て切り刻んだりして、その残忍な復讐の快楽を貪った。

けれどもやがて農業の発達は、まだ多少食人の風の残っていた、蛮人のこの快楽を奪ってしまった。そして捕虜は駄獣として農業の苦役に使われた。

また等しくこの農業の発達とともに、土地私有の制度が起った。そしてこの事もまた、奴隷の起源の一大理由として数えられる。現にカフィールの部落においては、貧乏という言葉と奴隷という言葉とが、同意味に用いられている。借金を返《か》えす事の出来ない貧乏人は、金持の奴隷となって、毎年の土地の分配にも与《あずか》らない。そして犬と一緒になって主人の意のままに働いている。

かくして従来無政府共産の原始自由部落の中に、主人と奴隷とが出来た。上下の階級が出来た。そして各個人の属する社会的地位によって、その道徳を異にするの事が始まった。

二

勝利者が敗北者の上に有する権利は絶対無限である。主人は奴隷に対して生殺与奪の権を持っている。しかし奴隷には、あらゆる義務こそあれ、何等の権利のあろうはずがない。

奴隷は常に駄獣や家畜と同じように取扱われる。仕事の出来る間は食わしてもおくが、病気か不具にでもなれば、容赦もなく棄てて顧みない。少しでも主人の気に触れれば、すぐさま殺されてしまう。金の代りに交易される。祭壇の前の犠牲となる。時としてはまた、酋長《しゅうちょう》が客膳を飾る、皿の中の肉となる。

けれども彼等奴隷は、この残酷な主人の行いをもあえて無理とは思わず、ただ自分はそう取扱わるべき運命のものとばかりあきらめている。そして社会がもっと違った風に組織されるものであるなどとは、主人も奴隷も更に考えない。

奴隷のこの絶対的服従は、彼等をしていわゆる奴隷根性の卑劣に陥らしむるとともに、また一般の道徳の上にも甚《はなは》だしき頽敗《たいはい》を来さしめた。いったい人が道徳的に完成せられるのは、これを消極的にいえば、他人を害するような、そして自分を堕落するような行為を、ほとんど本能的に避ける徳性を得る事にある。しかるに何等の非難または刑罰の恐れもなく、かつ何等の保護も抵抗もない者の上に、容赦なくその出来心の一切を満足さすというが如きは、これと全く反対の効果を生ずるのはいうまでもない。飽く事を知らない暴慢と残虐とが蔓《はびこ》る。

かくして社会の中間にあるものは、弱者を虐遇する事に馴れると同時に、また強者に対しては自ら奴隷の役目を演ずる事に馴れた。小主人は自らの奴隷の前に傲慢なるとともに、大主人の前には自ら全く奴隷の態度を学んだ。

強者に対する盲目の絶対の服従、これが奴隷制度の生んだ一大道徳律である。そして、主人及び酋長に対するこの奴隷根性が、その後の道徳進化の上に、いかなる影響を及ぼしたかは次ぎに見たい。

三

先《さ》きにもいった如く、奴隷は駄獣である、家畜である。そして奴隷はまず、家畜の中の犬を真似た。

カフィール族はその酋長に会うたびに、「私はあなた様の犬でございます」と挨拶をするという。しかし自分の身を犬に較《くら》べるこの風習は、ただに言葉の上ばかりでなく、その身振や処作においても、人間としての体の形の許せるだけ犬の真似をするという事が、ほとんど例外もないほどに到る処の野蛮人の間に行われている。

まずその一般の方法としては、着物の幾分かを脱いで、地に伏して、そして土埃《つちぼこり》を被《かぶ》るにある。

阿弗利加《アフリカ》は奴隷制度の最も厳格な処であった。従ってこの犬の真似の儀式も、ほとんど極端なまでに行われている。

アルゲン島付近のアザナギス族は、酋長の前に出ると、裸になって、額を地につけて、頭と肩とに砂を被る。イシニー族も、やはりまず着物を脱いで、腹這《はらばい》になって、這いながら口に砂をつめる。

クラッパートン氏に拠《よ》れば、氏がカトゥンガの酋長に謁見《えっけん》した時、二十余名の大官がいずれも腰まで裸になって、腹這になったまま顔も胸も土まみれになって酋長の傍へ這いずって行って、始めてそこに座って酋長と言葉を交える事を許されたのを見たという。

ところがこの貴族等はまた、自分が酋長に対してやる事を、同じようにその臣下のものに強いる。バロンダ族の平民は、道で貴族の前へ出ると、四這《よつばい》になって、体や手足に土をぬりつける。キアマ族もまた、貴族の前へ出ると、急に地べたに横になる。

ダホメーの酋長の家では、臣下は玉座の二十歩以内に近よる事を禁ぜられて、ダクロと称する老婆によって、酋長への一切の取次ぎをして貰う。まずその取次を請う者は、ダクロの前へ四這になって行く。そしてダクロはまた四足になって、酋長の前へ這って行く。

四

野蛮人のこの四這的奴隷根性を生んだのは、素《もと》より主人に対する奴隷の恐怖であった。けれどもやがてこの恐怖心に、更に他の道徳的要素が加わって来た。すなわち馴れるに従ってだんだんこの四這的行為が苦痛でなくなって、かえってそこに或《あ》る愉快を見出すようになり、ついに宗教的崇拝ともいうべき尊敬の念に変ってしまった。本来人間の脳髄は、生物学的にそうなる性質のあるものである。

そして酋長は他の人間以上の或る者になってしまった。

ナチェーの酋長は太陽の兄弟であった。そしてこの資格を以て、その臣下の上に絶対権を握っていた。酋長の嗣子《しし》は生れると直ぐに、その時母の乳房にすがっている一切の嬰児《えいじ》の主人であるとせられた。

中央阿弗利加においても、大中小の酋長はいずれも皆神権を持っていて、自由に地水風火の原素を使役する。ことに雨を降らすに妙を得ている。

バッテル氏に拠るに、ルアゴンでは畑に雨の必要があると、酋長に願って空に弓を射て貰う。これは雲にそのつとめを命じさすのである。

そこで人民が酋長に雨乞を願うと、酋長の方からはその代りに租税を要求するというような争が起きる。「羊を持って来なければ雨は降らせぬ」などと威張《いば》る。また洪水の時などには、麦幾許《いくばく》を納めなければ永劫にあらしがあるなどと嚇《おど》す。

ブーサ族の酋長が、欧羅巴《ヨーロッパ》では一夫多妻を禁じていると聞いて、「外の人にはそれも善かろうが、しかし酋長には怪しからん事だ」といったという。

アシャンチ族の酋長は、一切の法律の上に超絶していて、酋長の子はどんな悪事をしても罰せられる事がない。そして臣下は酋長のために死ぬ事を至上の義務と心得されている。

五

なおこの時代の野蛮人は、一般にごく御粗末な霊魂不滅観を抱いていた。すなわち人が死んだ後、なおいくばくかの間、生きているものと信じていた。死人の影が、地上の生活と同じような生活を、どこかで続けているものと信じていた。

そしてこの天上の生活は、ことに大人物にのみ限られていた。平民や奴隷はこの世限りで死んでしまうのである。そこで大小の酋長が死ぬと、食物だの、武器だの、奴隷だの、女だのと、いろいろなものをその未来の生活に伴って行く。

カライブ族の酋長が死んだ時に、その妻の一人が一緒に葬られた。彼女はこの酋長の子を幾人か生んだというので、ことにこの役目に選ばれたのである。

かつて布哇《ハワイ》で、布哇ナポレオンと称せられた、大虐殺王タメハメハの死んだ時などは、大勢の人間の強制的犠牲を供えたのみならず、なお無数の忠良な臣下が自殺しまたは自ら傷つけて不具になった。そしてその後数年間、国民は毎年その日に糸切歯を抜いて、タメハメハを祭った。

ベナン族の酋長の葬式には、墓の側に徳利形の大きな深い穴を掘って、その口から大勢の奴隷や召使を投《ほ》うり込んで、そこに餓死さしてしまう。

アシャンチの酋長が死ぬと、その親族の者は外に走って出て、手あたり次第に道に会う人々を殺す。それから数百または数千の奴隷の首をしめる。そして時々また、何《な》にか事のある度に、天上の酋長に使いするために、幾多の奴隷を殺す。

六

僕は余りに馬鹿馬鹿しい事実を列挙して来た。今時こんな事をいって、何んのためになるのかと思われるような、ベラボーな事実を列挙して来た。けれどもなお僕に一言の結論を許して戴きたい。

主人に喜ばれる、主人に盲従する、主人を崇拝する。これが全社会組織の暴力と恐怖との上に築かれた、原始時代からホンの近代に至るまでの、ほとんど唯一の大道徳律であったのである。

そしてこの道徳律が人類の脳髄の中に、容易に消え去る事の出来ない、深い溝を穿ってしまった。服従を基礎とする今日の一切の道徳は、要するにこの奴隷根性のお名残りである。

政府の形式を変えたり、憲法の条文を改めたりするのは、何でもない仕事である。けれども過去数万年或は数十万年の間、吾々《われわれ》人類の脳髄に刻み込まれたこの奴隷根性を消え去らしめる事は、中々に容易な事業じゃない。けれども真に吾々が自由人たらんがためには、どうしてもこの事業は完成しなければならぬ。

『近代思想』第一巻第五号、一九一三年二月一日

生の拡充

一

前号の「征服の事実」の中に、僕は「過去と及び近き将来との数万或《あるい》は数千年間の人類社会の根本事実」たる征服の事を説いて、これが「明瞭《めいりよう》に意識されない間は社会の出来事の何物も正当に理解するを許されない」と断じた。

そして更にこの論を芸術界に及ぼして、「この征服の事実と及びそれに対する反抗とに触れざる限り、諸君の作物は遊びである、戯れである。吾々《われわれ》の日常生活にまで圧迫して来る、この事実の重さを忘れしめんとする、あきらめである。組織的瞞着《まんちやく》の有力なる一分子である」と為《な》し、最後に次の如き結論を下した。

「吾々をして徒らに恍惚《こうこつ》たらしめる静的美は、もはや吾々とは没交渉である。吾々はエクスタジーと同時にアンツウジアスムを生ぜしめる動的美に憧れたい。吾々の要求する文芸は、かの事実に対する憎悪美と反逆美との創造的文芸である。」

今僕は再びこの問題に入って、この三項の連絡をもう少し緊密にし、従って僕のこの主張に更に多少の内容的明白を加えたいと思う。

二

生という事、生の拡充という事は、いうまでもなく近代思想の基調である。近代思想のアルファでありオメガである。しからば生とは何《な》にか、生の拡充とは何にか、僕はまずここから出立しなければならぬ。

生には広義と狭義とがある。僕は今その最も狭い個人の生の義をとる。この生の神髄はすなわち自我である。そして自我とは要するに一種の力である。力学上の力の法則に従う一種の力である。

力は直ちに動作となって現われねばならぬ。何んとなれば力の存在と動作とは同意義のものである。従って力の活動は避け得られるものでない。活動そのものが力の全部なのである。活動は力の唯一のアスペクトである。

されば吾々の生の必然の論理は、吾々に活動を命ずる。また拡張を命ずる。何んとなれば活動とはある存在物を空間に展開せしめんとするの謂《いい》に外ならぬ。けれども生の拡張には、また生の充実を伴わねばならぬ。むしろその充実が拡張を余儀なくせしめるのである。従って充実と拡張とは同一物であらねばならぬ。

かくして生の拡充は吾々の唯一の真の義務となる。吾々の生の執念深い要請を満足さするものは、唯最も有効なる活動のみとなる。また生の必然の論理は、生の拡充を障碍《しょうがい》せんとする一切の事物を除去し破壊すべく、吾々に命ずる。そしてこの命令に背《そむ》く時、吾々の生は、吾々の自我は、停滞し、腐敗し、壊滅する。

三

生の拡充は生そのものの根本的性質である。原始以来人類は既にその生の拡充のために、その周囲との闘争と、及びその周囲の利用とを続けて来た。また人類同士の間にも、お互いの生の拡充のために、お互いの闘争と利用とを続けて来た。そしてこの人類同士の闘争と利用とが、人類をして、いまだ発達したる知識の光明に照されざりし、その生の道をふみ迷わしめたのである。

人類同士の闘争と利用とは、かえってお互いの生の拡充の障碍となった。すなわち誤まれる方法の闘争と利用との結果、同じ人類の間に征服者と被征服者との両極を生じた。この事は既に前号の「征服の事実」の中に詳論した。

被征服者の生の拡充はほとんど杜絶《とぜつ》せられた。彼等はほとんど自我を失った。彼等はただ征服者の意志と命令とによって動作する奴隷となった、器械となった。自己の生、自己の我の発展をとどめられた被征服者は、勢い堕落せざるを得ない、腐敗せざるを得ない。

征服者とてもまた同じ事である。奴隷の腐敗と堕落とは、ひいて主人の上にも及ぼさずにはやまない。また、奴隷には奴隷の不徳があれば、主人には主人の不徳がある。奴隷に卑屈があれば、主人には傲慢がある。いわば奴隷は消極的に生を毀《こぼ》ち、主人は積極的に生を損ずる。人としての生の拡充を障碍する事は、いずれも同一である。

またこの人類同士の闘争と利用とは、人類がその周囲と闘争し、その周囲を利用する事に著《いちじる》しき障碍を来さしめた。

四

この両極の生の毀損《きそん》がまさに壊滅に近づかんとする時、ここにいつも侵寇《しんこう》か或は革命が起って来る。比較的に健全なる生を有する中間階級がイニシヤチブを取って、被征服階級の救済の名の下に、その援助をかりて事を挙げる。あるいは被征服階級の絶望的反乱となって、中間階級の利用の下に事を挙げる。そしてその当然の結果は、常に中間階級が新しき主人となる事によって終る。人類の歴史は要するにこの繰返しである。繰返しのたびごとに多少の進化を経たる繰返しである。

けれども人類はついに原始に帰る事を知らなかった。人類がいまだ主人と奴隷とに分れない原始に帰る事を知らなかった。自己意識のなかった原始の自由時代に、更に十分なる自己意識を提げて帰る事を知らなかった。絶大なる意味の歴史の繰返しをする事を知らなかった。

久しく主人と奴隷との社会にあった人類は、主人のない、奴隷のない社会を想像する事が出来なかった。人の上の人の権威を排除して、我れみずから我れを主宰する事が、生の拡充の至上の手段である事に想い到らなかった。

彼等はただ主人を選んだ。主人の名を変えた。そしてついに根本の征服の事実そのものに斧を触れる事をあえてしなかった。これが人類の歴史の最大誤謬《ごびゅう》である。

吾々はもうこの歴史の繰返しを終らねばならぬ。数千数万年間のピルグリメージは、既に吾々にこの繰返しの愚を教えた。吾々はこの繰返しを終るために、最後の絶大なる繰返しを行わねばならぬ。個人としての生の真の拡充のために、人類としての生の真の拡充のために。

五

今や近代社会の征服事実は、ほとんどその絶頂に達した。征服階級それ自身も、中間階級も、また被征服階級も、いずれもこの事実の重さに堪《た》えられなくなった。征服階級はその過大なる或は異常なる生の発展にみずから苦悩し出して来た。被征服階級はその圧迫せられたる生の窒息にみずから苦悩し出して来た。そして中間階級はまた、この両階級のいずれもの苦悩に襲われて来た。これが近代の生の悩みの主因である。

ここにおいてか、生が生きて行くためには、かの征服の事実に対する憎悪が生ぜねばならぬ。憎悪が更に反逆を生ぜねばならぬ。新生活の要求が起きねばならぬ。人の上に人の権威を戴《いただ》かない、自我が自我を主宰する、自由生活の要求が起らねばならぬ。果して少数者の間にことに被征服者中の少数者の間に、この感情と、この思想と、この意志とが起って来た。

吾々の生の執念深い要請を満足させる、唯一の最も有効なる活動として、まずかの征服の事実に対する反逆が現われた。またかの征服の事実から生ずる、そして吾々の生の拡充を障碍する、一切の事柄に対する破壊が現われた。

そして生の拡充の中に生の至上の美を見る僕は、この反逆とこの破壊との中にのみ、今日生の至上の美を見る。征服の事実がその頂上に達した今日においては、階調はもはや美ではない。美はただ乱調にある。階調は偽りである。真はただ乱調にある。

今や生の拡充はただ反逆によってのみ達せられる。新生活の創造、新社会の創造はただ反逆によるのみである。

六

僕は僕自身の生活において、この反逆の中に、無限の美を享楽しつつある。そして僕のいわゆる実行の芸術なる意義もまた、要するにここにある。実行とは生の直接の活動である。そして頭脳の科学的洗練を受けた近代人の実行は、いわゆる「本気の沙汰でない」実行ではない。前後の思慮のない実行ではない。強《あなが》ちに手ばかりに任した実行ではない。

多年の観察と思索とから、生の最も有効なる活動であると信じた実行である。実行の前後はもちろん、その最中といえども、なお当面の事件の背景が十分に頭に映じている実行である。実行に伴う観照がある。観照に伴う恍惚がある。恍惚に伴う熱情がある。そしてこの熱情は更に新しき実行を呼ぶ。そこにはもう単一な主観も、単一な客観もない。主観と客観とが合致する。これがレヴォリュショナリーとしての僕の法悦の境である。芸術の境である。

かつこの境にある間、かの征服の事実に対する僕の意識は、全心的に最も明瞭なる時である。僕の自我は、僕の生は、最も確実に樹立した時である。そしてこの境を経験するたびごとに、僕の意識と僕の自我とは、ますます明瞭にますます確実になって行く。生の歓喜があふれて行く。

七

僕の生のこの充実は、また同時に僕の生の拡張である。そしてまた同時に、人類の生の拡充である。僕は僕の生の活動の中に、人類の生の活動を見る。

また、かくの如き最も有効なる生の活動方向をとっているものは、ただに僕一人ではない。真に自己を自覚し、また自己と周囲との関係を自覚した人々は、今日なお甚《はなは》だ少数ながらも、しかも既に断乎《だんこ》たる歩みをこの道に進めている。盲目者の外は何人《なんぴと》も見遁《みのが》す事の出来ない、将来社会の大勢を形づくりつつある。

事実の上に立脚するという、日本のこの頃の文芸が、なぜ社会の根本事実たる、しかも今日その絶頂に達したる、かの征服の事に触れないのか。近代の生の悩みの根本に触れないのか。更に一歩進んで、なぜそれに対するこの反逆の事実に触れないのか。この新しき生、新しき社会の創造に触れないのか。確実なる社会的知識の根底の上に築かれた、徹底せる憎悪美と反逆美との創造的文芸が現われないのか。

僕は生の要求する所に従って、この意味の傾向的の文芸を要求する、科学を要求する、哲学を要求する。

『近代思想』第一巻第一〇号、一九一三年七月一日

鎖工場

一

夜なかに、ふと目をさましてみると、俺は妙な所にいた。

目のとどく限り、無数の人間がうじゃうじゃいて、皆《み》んなてんでに何《な》にか仕事をしている。鎖を造っているんだ。

俺のすぐ傍にいる奴が、かなり長く延びた鎖を、自分のからだに一とまき巻きつけて、その端を隣りの奴に渡した。隣りの奴は、またこれを長く延ばして、自分のからだに一とまき巻きつけて、その端を更に向うの隣りの奴に渡した。その間に始めの奴は、横の奴から鎖を受取って、前と同じようにそれを延ばして、自分のからだに巻きつけて、またその反対の横の方の奴にその端を渡している。皆んなして、こんな風に、同じ事を繰返し繰返して、しかも、それが目まぐるしい程の早さで行われているのだ。

もう皆んな、十重《とえ》にも二十重《はたえ》にも、からだ中を鎖に巻きつけていて、はた目からは身動きも出来ぬように思われるのだが、鎖を造る事とそれをからだに巻きつける事だけには、手足も自由に動くようだ。せっせとやっている。皆んなの顔には何《な》んの苦もなさそうだ。むしろ喜んでやっているようにも見える。

しかしそうばかりでもないようだ。俺のいる所から十人ばかり向うの奴が、何にか大きな声を出して、その鎖の端をほうり投げた。するとその傍に、やっぱりからだ中鎖を巻きつけて立っていた奴が、ずかずかと其奴《そいつ》の所へ行って、持っていた太い棍棒で、三ツ四ツ殴りつけた。近くにいた皆んなはときの声をあげて、喜び叫んだ。前の奴は泣きながらまた鎖の端を拾い取って、小さい輪を造っては嵌《は》め、造っては嵌めしている。そしていつの間にか、其奴の涙も乾いてしまった。

また所々には、やっぱりからだ中鎖を巻きつけた、しかし皆んなに較《くら》べると多少風采《ふうさい》のいい奴が立っていて、何んだか蓄音器のような黄色な声を出して、のべつにしゃべり立てている。「鎖は吾々《われわれ》を保護し、吾々を自由にする神聖なるものである」というような意味の事を、難しい言葉や難しい理屈をならべて、述べ立てている。皆んなは感心したような風で聴いている。

そしてこの広い野原のような工場の真ん中に、すばらしい立派ななりをした、多分はこの工場の主人一族とも思われる奴等が、ソファの上に横になって、葉巻か何にかくゆらしている。その烟《けむり》の輪が、時々職工共の顔の前に、ふわりふわりと飛んで来て、あたりの皆んなをいやというほどむせさせる。

二

妙な所だなあと思っていると、何んだか俺のからだの節々が痛み出して来た。気をつけて見ると、俺のからだにもやっぱり、十重二十重にも鎖が巻きつけてある。そして俺もやっぱりせっせと鎖の環をつないでいるのであった。俺もやっぱりこの工場の職工の一人なのであった。

俺は俺自身を呪った。悲しんだ、そして憤った。俺はヘーゲルの言葉を思い出した。

「現実する者の一切は道理ある者である。道理ある者の一切は現実する者である。」

ウィリアム第三世及びその忠良なる臣下は、この言葉を以て、当時の専制政府、警察国家、封印状裁判、言論圧迫等のありのままの一切の政治的事実に、哲学的祝聖を与えたものであると解釈したそうだ。

政治的事実ばかりではない。すべてがそうなのだ。あの愚鈍なる普魯西《プロシア》人民にとっては、あの一切の現実が、たしかに必然の、そして道理あるものであったのだ。

俺自ら俺の鎖を鋳《い》、かつ俺自ら俺を縛っている間、到底《とうてい》、この現実は、必然である、道理である、因果である。

俺はもう俺の鎖を鋳る事をやめねばならぬ。俺自ら俺を縛る事をやめねばならぬ。俺を縛っている鎖を解き破らなければならぬ。そして俺は、新しい自己を築き上げて、新しい現実、新しい道理、新しい因果を創造しなければならぬ。

俺の脳髄を巻きつけていた鎖は、思ったよりも容易に、たいがい解けた。しかし俺の手足の鎖は、頑固に肉の中にまで、時としては骨の中にまで喰い込んでいて、ちょっと触ったばかりでも痛くって仕方がない。それでも我慢しいしい少しは解いた。そして後には、その痛いのが、多少小気味のいい感じさえ添えて来た。見張りの奴の棍棒も、三つや四つくらいなら、平気で受けるほどになった。傍の奴等の嘲笑《ちょうしょう》や罵詈《ばり》は、こっちから喜んで買ってやりたいほどになった。

けれども俺ひとり俺の鎖を解こうとしても、どうしても解けない鎖が沢山ある。俺の鎖と皆んなの鎖とは、巧みにもつれ合いつなぎ合っている。どうにも仕方がない。それに少しでも怠けていると、折角苦心して解いた鎖が、自然とまた俺のからだに巻きついている。知らぬ間に俺の手は、また俺の環をつなぎ合わしている。

工場の主人の奴は、俺達の胃の腑《ふ》の鍵を握っていて、その鍵のまわし具合で、俺達の手足を動かしているのだ。今まで俺は、俺の脳髄が俺の手足を動かすものだとばかり思っていたが、それは大間違だった。見渡す所、何奴の手足だって、自分の脳髄で左右せられているものはない。皆んな、自分達の胃の腑の鍵を握っている奴の脳髄で、自由自在に働かされているのだ。随分馬鹿気きった話だが、事実は何んとも仕方がない。

三

そこで俺は、俺の胃の腑の鍵を、其奴の手から取りもどそうと思った。しかしここでもまた、俺ひとりの胃の腑の鍵を、其奴から奪いとる事は、とても出来ない仕事であった。俺の胃の腑の鍵と皆んなの胃の腑の鍵とが、其奴の手の中で、やっぱり巧《たく》みにもつれ合い結び合っていて、どうしても俺ひとりのだけを抜き取る訳に行かない。

また其奴のまわりには、いろんな番人がいやがる。皆んな鎖をからだ中に巻きつけて、槍《やり》だの弓だのを持って立っている。恐くって寄りつけるものでない。

俺はほとんど失望した。そして俺のまわりの奴等を見た。

鎖で縛られている事も知らんでいるような奴が大勢いる。よし知っていても、それがありがたいものだと思っている奴も大勢いる。ありがたいとまでは思わないが、仕方がないと諦めて、やっぱりせっせと鎖を造っている奴も大勢いる。鎖を造る事も馬鹿らしくなって、見張りのすきを窺《うかが》ってはちょいちょい手を休めて、自分の頭の中で勝手気儘《きまま》な空想妄想を画《えが》きながら、俺は鎖に縛られているのではない、俺は自由の人間だ、などと熱にうかされてたわ言をいっている奴も大勢いる。馬鹿馬鹿しくって、とても見ていられたものでない。

急に俺は目を見張った。俺は俺の仲間らしい奴等を見つけたのだ。

人の数も少ない。かつあちこちに散らばっている。しかしこの奴等は皆んな、主人の手の中にある、皆んなの胃の腑の鍵ばかりを狙っているようだ。そして俺と同じように、自分等ばかりの鍵を奪いとる事はとても出来ないと観念してか、しきりと近所の奴等にささやいて、団結を説いている。

「主人の数は少ない。俺達の数は多い。多勢に無勢だ。俺達が皆んな一緒になって行けば、一撃の下に、あの鍵を奪い返す事が出来る。」

「しかし正義と平和とを主張する俺達は、暴力は慎まなければならぬ。平和の手段で行かなければならぬ。しかもそれで容易くやれる方法があるんだ。」

「俺達は毎年一度、俺達の代表者を主人の所へ出して、俺達の生活の万事万端をきめている。今でこそ、あの会議に列なる奴等は皆んな主人側の代表者だが、これからは俺達の方の本当の代表者を出す事に勉《つと》めて、あの会議の多数党となって、そうして俺達の思うままに議決をすればいいんだ。」

「皆んなは黙って鎖を造っていればいい。鎖をまきつけていればいい。そしてただ、数年目に来る代表者改選の時に、俺達の方の代表者に投票をすればいいんだ。」

「俺達の代表者は、だんだん俺達の鎖をゆるめてくれると同時に、最後に、俺達の胃の腑の鍵を主人の手から奪い取ってしまう。そして俺達は、この鍵を俺達の代表者の手にあずけたまま、俺達の理想する新しい組織、新しい制度の工場にはいるんだ。」

四

俺は一応、尤《もっと》もな議論だとも思った。しかしただその数をたのみにしている所、また自分よりも他人をたのみにしている所などが、どうも気に食わない。そして其奴等が科学的だとかいっているその哲学を聴くに及んで、此奴等もやっぱり俺の仲間ではないと覚《さと》った。

此奴等は恐ろしいPanlogistsだ。そして恐ろしい機械的定命論者だ。自分等の理想している新しい工場組織が、経済的行程の必然の結果として、今の工場組織の自然の後継者として現われるものだと信じている。従って奴等は、ただこの経済的行程に従って、工場の制度や組織を変えればいいものと信じている。

尤もどっちかといえば俺も Panlogist だ。機械的定命論者だ。けれども俺の論理の中には、俺の機械的定命の中には、だいぶいろんな未知数が入っている。俺の理想の実現は、この未知数の判然しない間、必然ではない。ただ多少の可能性を帯びた蓋然《がいぜん》である。俺達は奴等のように将来の楽観は出来ない。そして将来に対する俺の悲観は、現在における俺の努力を励ましめるのだ。

俺のいわゆる未知数の大部分は人間そのものである。生の発展そのものである。生の能力そのものである。更に詳しくいえば、自我の能力、自我の権威を自覚して、その飽く所なき発展のために闘う、努力そのものである。

経済的行程が、俺達の工場の将来を決する、一大動力である事は疑わない。けれどもその行程の結果として、いかなる組織と制度とを齎《もたら》すべきかは、かの未知数、すなわち俺達の能力と努力とにかかるものである。組織といい制度という、それは人間と人間との接触を具体化したものに過ぎない。人間と人間との関係を具体化したものに過ぎない。零《ゼロ》と零との接触、零と零との関係は、いかようにしても、要するに零である。

けれども俺は、今日既に出来ている組織や制度に対しては、そのほとんど万能ともいうべき大勢力を、慄然《りつぜん》として怖れざるを得ない。その破壊を外にして個人の完成を称《たた》うるがごとき奴等は、夢の中に夢見る奴等である。

なまけ者に飛躍はない。なまけ者は歴史を創らない。

五

俺は再び俺のまわりを見た。

ほとんどなまけ者ばかりだ。鎖を造る事と、それを自分のからだに巻きつける事だけには、すなわち他人の脳髄によって左右せられる事だけには、せっせと働いているが、自分の脳髄によって自分を働かしているものは、ほとんど皆無である。こんな奴等をいくら大勢集めたって、何んの飛躍が出来よう、何んの創造が出来よう。

俺はもう衆愚には絶望した。

俺の希望は、ただ俺の上にかかった。自我の能力と権威とを自覚し、多少の自己革命を経、更に自己拡大のために奮闘努力する、極小の少数者の上にのみかかった。

俺達は、俺達の胃の腑の鍵を握っている奴に向って、其奴等の意のままに出来上ったこの工場の組織や制度に向って、野獣のように打《ぶ》っつかって行かなければならぬ。

俺達は、恐らくは最後まで、極小の少数者かも知れぬ。けれども俺達には発意がある、努力がある。そしてこの努力から生じた活動の経験がある。活動の経験から生じた理想がある。俺達は飽くまでも戦闘する。

戦闘は自我の能力の演習である。自我の権威の試金石である。俺達の圏内に、漸々《ぜんぜん》になまけ者を引寄せて、其奴等を戦士に化せしめる磁鉄《じてつ》である。

そしてこの戦闘は俺達の間の生活の中に、新しき意義と新しき力とを生ぜしめて、俺達の建設しようとする新しい工場の芽を萌ましめるのである。

ああ、俺はあんまり理屈をいいすぎた。理屈は鎖を解かない。理屈は胃の腑の鍵を奪い返さない。

鎖はますますきつく俺達をしめて来た。胃の腑の鍵も、ますますかたくしまって来た。さすがのなまけ者の衆愚も、そろそろ悶《もだ》え出して来た。自覚せる戦闘的少数者の努力は今だ。俺は俺の手足に巻きついている鎖を棄てて立った。

俺は目をさました。とうに夜も明けて、八月なかばの朝日が、俺のねぼけ面を照りつけている。


『近代思想』第一巻第一二号、一九一三年九月一日

正気の狂人

『へちまの花』第三号に、荒畑寒村近著『ショウ警句集』の批評が載《の》っている。わずか十行足らずのものではあるが、その最後の一句が、ひどく僕の目についた。「寒村君の訳筆は既に世に定評がある」までは、いかにもみだし通りの「お提灯《ちょうちん》」である。しかしその次の「ついに一つここに警句を抜いておく。人間は最高の山頂までも攀登《よじのぼ》れるが、しかし、そこに永《なが》くは住めない」に至っては、見逭《みのが》しのならぬ書きぶりである。

署名はしてないが、もちろんこれは堺利彦君の筆だ。そこで僕は、堺君のこの態度に対して一言すると同時に、この機会を利用して、僕等自身の一主張、すなわち僕のいわゆる正気の狂人論を更に徹底させたい。

いうまでもなく、あの最後の一句は、荒畑寒村に対する堺利彦君の皮肉である。最高の山頂まで攀登って行かなければならぬことを常に主張し、かつ往々自らそこに到達し或《あるい》は到達せんとして、すぐ様《さま》転げ落ちてしまう荒畑寒村が、その自著の中に、自らの生活や主張を嘲笑《ちょうしょう》するような態度の、かくの如き警句をさしいれた事実上の皮肉を更に皮肉ったものである。

僕は今、あの皮肉好きの堺君が、ふとこの警句を見出して、それをこの皮肉の材料に使おうと思った時の、いかにもうれしそうな顔付を、目前に見る事が出来る。そしてその瞬間の堺君の心理を甚《はなは》だ賤《いや》しむ。

荒畑寒村のあの主張や生活は、同時にまた、僕自身の主張でありかつ生活である。のみならず更に僕は、そして寒村も多分そうだろうと思うが、すべての人がそしてその順序としてまず或る少数者が最高の山頂まで攀登らねばならぬ事を、勧告しかつ強制したいのだ。従って僕は、堺君のあの皮肉が寒村一人にさし向けられたとしても、更に僕が堺君に対して差出口をしなければならぬ僕自身の義務を感ずるのだ。

堺君のショウ好きは、思うに、単に彼れの反逆的方面のみでなく、またこういったごく低級の皮肉的方面にも、だいぶ堺君と似かよった所があるからである。僕は今、この低級の皮肉という文字を、無理解から生じた皮肉の意味に使う。ショウは紳士閥社会に対するその観察と批評とにおいて、実に精緻《せいち》と辛辣《しんらつ》とを極めている。けれどもショウは、多くの社会主義者と等しく、社会主義以外のもしくばそれに甚だ接近した新思想に対して、往々甚しき無理解を示し、またその無理解から生ずる甚だ賤劣な皮肉を娯《たの》しむ癖がある。彼れの小論文「無政府主義の不可能」の如きは、彼れ自身が無政府主義的思想の断片を常に口にしまた筆にしながらも、なおかつ無政府主義という一歴史的理論に対するその定心と無理解との、いかに甚だしきかを明示する好適例である。また彼れは「イブセン説の神髄」において、あれほど明瞭なイブセンの無政府主義に、すなわち自覚せる個人の自由合意を以て組織する新社会の理想に、ケチをつけようとして、ためにこの書の発行者たるタッカーによって訂正の脚註を付せられている。

僕は、ショウのあの警句がどんな本のどんな場所にあるのか、知らない。従って何を指し、何を意味するかも知らない。しかしそれは今問題ではない。要はただ、堺君が自分の主張と多少違った他人の主張に対して、しかも常に堺君に親近しまた堺君を尊敬しているその友人或は後輩の主張に対して、あえてその主張の内容に深く立入る事をせず、ほんの上すべりの皮相的観察を下して、わずかに冷笑と皮肉とを以て得々としているその態度にあるのだ。

それは堺君の寒村に対するこんどの態度ばかりではない。僕自身もまた、最近においてしばしば堺君のこの態度に会っている。堺君はその「胡麻塩頭《ごましお》」において、数回僕の主張を批評した。曰《いわ》く、あまりに英雄的である、曰く、あまりに神秘的である。そしてこれ以上には、それに付加せられた多少の皮肉の外に、ほとんど何事もいっていない。英雄的もしくば神秘的の語は、堺君にとってはよほどの嘲笑の語である。しかるに堺君は、ただこれらの嘲笑の話を放っただけで、ほとんど何等の解剖をも僕の主張の上に加えていない。従来いささかなりとも僕の主張の上に異論を挿《さし》はさむ者に対して、直ちにそれに食ってかかって行った僕が、特に堺君の嘲笑に対してのみほとんど沈黙を守っていたのは、僕の親近しかつ尊敬する友人または先輩の態度として、余りに不親切なかつ余りに陋劣《ろうれつ》な態度だと、半ば憤り、かつ半ば賤《いや》しんでいたからである。しかし僕は、堺君のこの態度が思想上漸く堺君を離れかけている他の友人または後輩にも向けられて来るのを見て、従って先輩としての堺君に対する尊敬がそれらの人々の間に漸次薄らいで行く事実を見て、あえて堺君にこの事を一言する。

もとより僕等は、皮肉や嘲笑を怖れやしない。真に僕等を理解した皮肉や嘲笑は、舷《ふなばた》を叩いて、僕等もまたそれに応じて、共に僕等自身を皮肉りかつ嘲笑したい。また始めから僕等を理解する事の出来ないものと僕等が認めている奴輩の低級な皮肉や嘲笑に対しては、ほとんど何等の痛痒《つうよう》をも感じない。けれども堺君は、僕等が十年あまり親近し、かつ尊敬し来たった先輩である。今僕等が堺君に要求する所は、まず僕等に対する真の理解である。またこの理解から生じた教訓もしくば嘲笑である。そして堺君もまたその友人または後輩たる僕等に対して、これと同様の希望を懐《いだ》くべきである。

去年の三月、近代思想社の晩餐会で、島村抱月、相馬御風の二氏を招いた時、芸術と実行というような話で、だいぶ議論を闘わした事があった。その後抱月氏はその晩の感想を、例の講義的調子で、『文章世界』に発表した。僕もまた、その後発表した「生の拡充」の中に、その晩ちょっと口走った実行の芸術という言葉の意味を明らかにした。

「僕は僕自身の生活において、この反逆の中に、無限の美を享楽しつつある。そして僕のいわゆる実行の芸術なる意義もまた、要するにここにある。実行とは生の直接の活動である。そして頭脳の科学的洗練を受けた近代人の実行は、いわゆる『本気の沙汰でない』実行ではない。そ前後の思慮のない実行ではない。あながちに手ばかりに任した実行ではない。」

この「本気の沙汰でない」という句に特にカッコを入れたのは、その晩の議論の間に、僕の実行の芸術という語に多少反対らしかった堺君の言葉であったからだ。そしてその次の「あながちに」云々《うんぬん》の句は、抱月氏が実行をただの腕力とばかり解していたようなのに当ったのであった。

「多年の観察と思索とから、生の最も有効なる活動であると信じた実行である。実行の前後はもちろん、その最中と雖《いえど》も、なお当面の事件の背景が十分に頭に映じている実行である。実行に伴う観照がある。観照に伴う恍惚がある。恍惚に伴う熱情がある。そしてこの熱情は更に新らしき実行を呼ぶ。そこにはもう単一な主観も、単一な客観もない。主観と客観とが合致する。これがレヴォリュショナリーとしての僕の法悦の境である。芸術の境である。」

僕は、僕の実行がいつでもこの種の実行であるという事は出来ない、また僕のこの種の実行が、いつでもこの文に現われた如き偉い実行だとも、いう事は出来ない。けれども僕には、この種の或はそれに近い実行の経験が、既に幾度か味われた。

「かつこの境にある間、かの征服の事実に対する僕の意識は、全心的に最も明瞭なる時である。僕の自我は、僕の生は、最も確実に樹立した時である。そしてこの境を経験するたびごとに、僕の意識と僕の自我とは、ますます明瞭にますます確実になって行く。生の歓喜があふれて行く。」

かの征服の事実に対する事ばかりではない。僕の生の直接の行動たる実行には、意識的実行の時はもちろん、無意識的実行の時にも、その最中かその直後か或は程経《ほどへ》ての追懐において、僕はこの種の経験を、既に幾度か味わった。

この経験は僕の正気の狂人論の一基礎である。僕はこの生の法悦を味わんがために、最も確実に樹立した自我の充実を得んがために、すなわち生の最高の山頂に攀登らんがために、正気の狂人論を主張したいのだ。そこに永く住めない事は、今の僕にとっての問題ではない。幾度転げ落ちてもいい。要はただ、幾度でもそこへ登って行きたいのだ。そこへ登って行く努力だけでもしたいのだ。

この努力は、この行為は、しかも自己の生の拡充のために一切の権威と障碍《しょうがい》とに反逆し、突進して行く者のこの努力とこの行為とは、習俗者から観れば、また習俗からぬけ切らぬ者から観れば、多くは狂人の努力である、狂人の行為である。本気の沙汰でない行為である。けれども僕は、この狂人の行為を、本気の沙汰で、正気でやり遂げたいのだ。

いつかの僕の短文「野獣」は、このいわゆる狂気の沙汰を、まだまだ思い切って実行する事の出来ない僕自身に対するいましめであったのだ。

僕はだいぶ自分の古い文を引用した。そして自分でそれに註釈を加えた。しかしこれは、さきにもいった如く、あの文の中にある僕自身の経験が、僕のこの正気の狂人論の一基礎であり、かつこの基礎を土台としなければ、僕がこの論をやる順序として欠くる所あるからである。そして僕は、この論の読者諸君に対して、更に僕の主張を明らかにするために、さきにいった僕の諸論文を参照せられん事を願う。

ベルグソンはその著『意識の直接与件』の結論の中に、次の意味の事をいっている。

「二つの違った我がある。その一は他の外的投影、空間的表現、また、いわば社会的表現のようなものだ。吾々《われわれ》は深い反省によってこの第一の我に到達する。しかし吾々がこの吾々自身を捕える瞬間は稀れだ。そしてこの故に吾々はめったに自由でないのだ。吾々は大部分の時間を吾々自身とは外的に生活する。吾々は吾々の我の色あせた幽霊のみしか認めない。吾々は吾々のためによりも、むしろ外的世界のために生活している。吾々は吾々自身の思っているよりも余計に語る。吾々は吾々自身の行動するよりも余計に行動させられる。自由に行動するとは、自己を所有する事である、純粋持続の中に吾々自身を置く事である。」

なおこの心理作用を真に理解するためには、等しくベルグソンに拠《よ》れば、「吾々が或る重大な決心を為すべく選んだ吾々の生涯の瞬間、その類において唯一なる瞬間、またその歴史の過ぎ去った時機がその国民のために再来しないと同じく、再び現われる事のない瞬間を追懐」しなければならぬ。

ただこれだけの一節を書き抜いただけでは、あまりに漠然過ぎるかも知れぬ。しかし僕の議論の筋道としては、ただベルグソンがこういっているという事を、ぼんやりでもいいから頭にいれて貰えばいいのだ。そしてなお、一時センディカリスムの父とまで呼ばれたジョルジ・ソレルの著『暴力論』に拠れば、この自由は、吾々が吾々自身を閉じこめている歴史の框《かまち》を破って、吾々自身の中に、一新人を創り出そうとする努力の中に、ことに吾々の享け得べきものである。

僕はこの第一自然が捕えたいのだ。その類において唯一なるこの瞬間を捕えたいのだ。この自由を捕えたいのだ。この生の最高の山頂に攀登りたいのだ。そして僕は、この瞬間を僕のいわゆる正気の狂人的行為の中に、この崇高なる実行の芸術の中に、既にしばしば見出し、また常に見出され得るものと信ずるのだ。幾度転げ落ちてもいい。ただ幾度でもこの山頂へ登って行きたいのだ。そこへ登って行く努力がしたいのだ。自分ばかりではない。他人にもまた、この努力と行為とを、勧告したいのだ、強制したいのだ。これの出来ない奴輩は、またこれを為そうとも思わぬ奴輩は、僕のいわゆる衆愚だ。歴史の創造に与《あずか》らない怠惰者だ。

僕は更にこの正気の狂人論を、堺君や僕等が等しく社会的仕事としている労働運動の上に考えて見たい。

ここに一ストライキが起るとする。僕はこのストライキを以て、ベルグソンのいわゆる「吾々が或る重大な決心を為すべく選んだ吾々の生涯の一瞬間、その類において唯一なる瞬間」としたいのだ。平凡なストライキではない。安閑《あんかん》としてただ腕組許りしているストライキではない。本当に労働者が重大な決心を要するストライキだ。

すなわち、巨額の維持金をかかえて、永い間平穏無事にその腕組を続けて、これによって一般社会の同情を得て、そして最後に政府者側の干渉をして労働者の利益に終らしめんとするようなストライキではない。維持金も何もなしに、短かい時間の間に、労働者のエナージーをエキステンシフでなくインテンシフに集中した、本当に労働者が重大な決心を要する、正気の狂人的ストライキだ。労働者のエナージーと自信と個人的勇気と発意心とを、その最高潮に到らしめるストライキだ。

もしすべての労働者が、かくの如き極力的戦闘をする事を拒み、またかくの如き生の最高の山頂に攀登る事を拒むならば、労働者は永遠の奴隷である。

生の最高潮に上りつめた瞬間の吾々は価値の創造者である、一種の超人である。僕はこの超人の気持が味わいたいのだ。そして自らこの瞬間的超人を経験する度数の重なるに従って、一歩一歩、この種の真の超人となる資格が得たいのだ。

『近代思想』第二巻第八号、一九一四年五月一日

賭博本能論

僕等の労働雑誌創刊の計画について、或《あ》る深切な二、三の友人は、僕等に忠告して言う。かの大逆事件以来、歴代の政府の方針は、一切の無政府主義的及び社会主義的言論を、絶対に禁止するという事にあるらしい。大隈内閣が言論の尊重を宣言したといっても、もちろんそれは、君等には適用されるはずがない。現に『新仏教』五月号は、堺君の「平民読本」のために、発売禁止の厄に遭い、また日本労働党の発行した「労働諸君に与う」と題するチラシも差し押えを食っている。君等の新雑誌は、或《あるい》は創刊匆々《そうそう》この手を食って、おまけに君等二人も、すぐ様ぶちこまれるような事になりはしまいか。いや、或は政府では、手ぐすね引いて、十月の来るのを待ち構えているのかも知れぬ。そうなると、まるで君等は、政府のわなの中へ、わざわざ飛びこんで行くような愚に陥る。それよりはやはり、もう暫《しばら》く忍んで、今のままの近代思想に拠《よ》って、例の哲学とか科学とか文学とかいう安全な保護色の下に、君等の主義の漠然とした伝道に従ったらどうだろう。それに、君等は知識的手淫なぞといって妙にけなしてもいるが、その手淫のとばちりで立派に妊んだものも、随分あちこちにいるんだ。

そこで僕はこの深切な友人等に答えた。

僕等はもうそのいわゆる安全に飽き飽きしたのだ。というよりはむしろ、この安全が、かえって、僕等の生を萎縮さすように感じたのだ。そして今度は、君の言うその危険の中へ、わなの中へ、わざわざ飛びこんで行って見たくなったのだ。僕等の本能と僕等の理知とが結び付いて、どうしてもそこへ飛びこんで行かねばならぬ力を、僕等の中に生じさしたのだ。

そして僕は、その友人に説いた。

アナトール・フランスの著『エピキュルの園』の中に、賭博うちの心理についての、興味深い二つの小話がある。

その話の一つはこうだ。

賭博気違にとりつかれた二人の船頭があった。それが難船に遭って、あらゆる恐ろしい出来事の後に、鯨の背中に乗っかってようやく死を免れた。すると二人は、そこへ乗っかるや否や、ポッケットから骰子《さいころ》と骰子振とを取出して、賭博をうち始めた。

もう一つの話はこうだ。

神様が、或る小供に、糸捲《いとまき》を与えた。そして神様は言う。「この糸はお前の生涯の糸だ。これを上げるから持っておいで。そしてお前の月日を経《た》たそうと思ったら、この糸を引けばいいんだ。お前がこの糸を急いでほごすか、ゆっくりほごすかによって、お前の生涯は、早くも遅くも過ぎて行く。またお前がこの糸に触らないでいれば、お前は、いつまでもお前の生涯の同じ月日にとどまっている。」小供はその糸捲をもらった。そしてその糸を引っぱった。まず大人になろうと思って、次にその愛する許嫁と一緒になろうと思って、次に二人の間に出来た小供の大きくなるのを見ようと思って、職業にありつき、金儲をし、名誉を得ようと思って、いろいろな心配を遁《のが》れ、年とともに来る悲しみや病を避け、そしてついに煩わしい老いを終ろうと思って。こうして彼は、この神様に会ってから、四ヶ月と六日で死んでしまった。

ほんとうに、アナトール・フランスの言うように、賭博とは、運命が普通には長時間または長年月の間でなければ生ぜしめない変化を、一秒時の間に齎《もた》らし来らしめる、術なのだ。他の人々の緩やかな生涯の間に散在しているあらゆる情緒を、ただいっときの中に集中さす術なのだ。数分時の中に、一生涯を生きる秘訣なのだ。金を賭ける。金とはすなわち、直後の、無限の可能性をもったものだ。ひっくり返す一枚のカルタの中には、飛んで行く小さな球の中には、あらゆる地上の富貴や、栄華や、権力やの可能性が含まれているのだ。それればかりではない。なおその中には、それらのものの夢が、含まれているのだ。しかしこの賭博にはまた、恐ろしいディヤマンの爪がある。勝手に窮迫を与える、恥辱を与える。そしてこの故に、賭博が崇められるのだ。あらゆる大情欲の底には、危険という引力がある。逆上のない逸楽はない。恐怖のまじった逸楽は狂熱を導く。かくの如き逸楽の中には、剛胆者の全筋肉をふるい立たしめる、或物があるのだ。

僕は、この賭博の心理を、冒険の心理を、人間の本能の中に見た。動物の本能の中に見た。原始人類はあらゆる危険の裡に生活していた。さればこの危険を冒すという自然の傾向が、今日なお、すべての人々の中に、多少の程度において、見出す事が出来る。今日、多くの遊戯が、一種の危険の真似事であるが如くに、危険は、原始人類のいわば遊戯であったのだ。そしてこの危険のために危険を冒すという、危険の興味は、動物の中にも見出す事が出来る。ムウホの『シャム及びカンボジヤ旅行記』の中に、これについての面白い話がある。

一疋《いっぴき》の鰐《わに》がからだを水中に埋めて、大きな口をあけて、そのあたりを過《よ》ぎる餌食をつかまえようとしている。それを一とむれの猿が見つけて、暫く何か協議していたようであったが、やがてだんだんと鰐のそばへ近づいて行って、かわるがわる役者になったり見物になったりして、その遊戯を始めた。一番はしっこそうな、一番大胆らしい奴が、枝から枝を伝って、鰐のとどきそうな所まで行って、手足で枝にぶら下って、そしてそのお得意のはしっこさで、からだを前へやったり後へひっこめたりして、時としては手を延ばして鰐の頭を打ち、時としてはただ打つまねをしている。ほかの奴等も、この遊びを面白がって、その仲間入りをしようとしたが、ほかの枝があまり高すぎるので、大勢で手足でつかまり合って、一連の鎖をつくって、そしてぶらりとぶら下って、鰐に一番近い奴が、ありたけのわざを尽して、鰐をからかう。時々あの恐ろしい顎が閉じる。けれども大胆な猿は容易につかまらない。すると猿共は躍り上って歓呼する。しかし時には、この軽業師も、螺盤《らばん》のような大きな顎の中に手足をはさまれて、瞬く間に水の中へ引きこまれてしまう。さすがの猿共も、恐れ慄《おのの》いて、泣き叫びながら、散り散りににげて行く。しかしこれにも懲りずに、数日の後、もしくは数時間の後には、また同じこの遊戯をやりに集まって来る。

僕は、僕の論旨を進める便宜として、この三つの話を挙げた。しかし僕とても、かの船頭や、小供や、または猿の如く、ただこの強烈な賭博本能に駆られて、危険の中へ入って行きたいというのではない。鰐の口もとへ行って、うまくその頭を叩いてやろうという、遊びのための遊びに耽《ふけ》ろうというのではない。さきにも言った如く、僕のこの賭博本能は、この一種の生活本能は、更に知識本能によって、訓練された力になっている。ただ僕は、これらの話に因て、賭博本能すなわち冒険本能が、その生地のまま進んで行く時、いかに極端に走った、馬鹿げた狂熱的の力を持っているかを示せば足りるのだ。

この危険の快楽は、更にそしてことに、勝利の快楽を得たいためから起る。ただ猛獣狩をするために阿弗利加《アフリカ》の奥深く入って行った英吉利《イギリス》のバルドウィンは、危く獅子に打倒されようとした後に、何故人間は、なんの利益もないこんな事にまでその生命を賭けるのか、という問題に対して自ら答えている。「これは私の解決しようとする問題ではない。ただ私の言い得るすべては、よし賞讃してくれる何人《なんぴと》のいない時でも、あらゆる危険を冒して行く苦痛に価する内的満足を、勝利の中に見出すという事である。」人間には、何者にでも、動物にでも、勝ちたい、自己の優越を証拠立てたいという、自尊の本能がある。そしてこの本能は、勝利の希望のなくなった後にでも、なお吾々《われわれ》をして、頑固に、決死の戦を続けしめる事がある。

この闘争本能は、戦争や狩猟における如き人間または動物に対する闘争、海や山やまたは空中におけるが如き目に見える自然物に対する闘争、その他あらゆる種類の困難におけるが如き目に見えない障害物に対する闘争、というようにその闘争形式は変って行く。しかし闘争本能そのものはついに消滅する事がない。そしてその闘争は、常に、狂熱的決闘ともいうべき同一の特性を保存する。すなわちその闘争が、物的領域から知的領域に移って行っても、その熱と幻惑とはいささかも失われない。なおこの闘争は、更に進んで、全く道徳的の領域にまでも移って行く。すなわち諸種の情欲に対する意志の内的闘争がある。そしてその勝利は無限の歓喜を生ぜしめる。

要するに、人間には、自らの偉大を感じなければならぬ、従って自らの意志の崇高を自覚しなければならぬ、という本来の欲望があるのだ。この自覚は闘争によって、自己に対するまたは自己の欲望に対する、及び物的または知的障害物に対する闘争によって、始めて獲得される。

そしてこの闘争は、理性の満足を得んがために、常に何等かの目的をもたなければならぬ。人間は、かの鰐をからかって遊ぶカンボジヤの猿や、または単に狩猟のために阿弗利加の蛮地を探険するバルドウィンやの行為を、そのままに是認するには、余りに合理的である。冒険の狂熱は、吾々の誰《だ》れにも、最も臆病なるものにも、時として存在する。しかしこの冒険本能は常に合理的に働かせられる事を要求する。かくしてこの危険と闘争との欲望は、理性によって指導せられる事によって、しかしこの本能が一定の方向をもたないという稀れなる本能の一であるだけ、それだけ道徳上の重要性を帯びて来る。

快楽を求めて苦痛を避ける事は、いうまでもなく人間の一本能である。しかしとかくに人間は、他の大なる苦痛には眼をつぶって、或る小なる快楽に甘んじかつそれに執着する怠惰性、臆病性をもっている。けれどもこれと反対に、尤《もっと》もこの反対というのはほんの皮相の観ではあるが、苦痛を通じて更に快楽を求める事もまた、同じく人間の本能である。この本能が理性の洗礼を受けない時、いかにそれが馬鹿馬鹿しき賭博性に陥いるかは、さきに言った。そしてこの表面上二つの本能が生というメタルの裏表になって、人間の生活本能ともいうべきものを形づくる。

科学は、この前者の本能を満足すべく、理知によって創《つく》られた。吾々は科学の教える正確の領域において、出来るだけ苦痛を避けて快楽を求めねばならぬ。また科学のいわゆる正確領域をますます拡大する事に努めねばならぬ。しかし科学の領域は甚《はなは》だ狭い。吾々の生活本能は到底この科学だけで満足は出来ない。そこで臆断《スペキュレイション》をやる。哲学《フイロソファイズ》をやる。かつ彼《か》の科学そのものにすら、その根底において、必ず何等かの仮定がある。かくして吾々は、この後者の本能に押されて、未知《アンノウン》の世界に入って行く。

今僕は、個人対社会の関係において、すなわち社会に対する個人の態度の問題において、この二つの本能がいかに働くべきかを説いて、僕のこの議論の結論をつけようと思う。

個性の発達を全く無視し、かつあらゆる手段を以てそれを抑圧する、今日の社会制度の下にあっては、真の個人的行動は、そのほとんど到る処において、常に困難と苦痛と危険とに遭わなければならぬ。そして彼の第一本能は、吾々に妥協を命じ、屈辱を強いる。吾々をして、ただ生《ヴエジエテート》きて行くというだけの、生の安全を保たせる。そして吾々には、このただ生きて行くというだけの生に対しても、なお猛烈な執着、すなわち自己保存本能がある。

けれども吾々はまた、こういった無為《イナクテイブ》の生活に堪えられるものでない。いささかなりとも自己超越本能を満足せずに生きていられるものでない。そこで吾々の対社会的態度は、常に隙《すき》を窺《うかが》っては冒険的方面に出ようとする。一歩でもいい、ただ生きて行くという生活から超越したい。一刻一刻に現在の自己を超越して行きたい。この種の冒険は、十分道徳的に構成せられた個人の、健全なる正則《ノルマル》の行為である。そこに、吾々の生の、真の成長、真の創造がある。そしてもし全くそのすきがないと見た時、この自己超越の本能は、ついに自己保存の本能に打克《うちか》って、時として自己犠牲の行為にまで進む。この場合の自己犠牲は、もはや、自己の生の単純なる否定ではない。かえって自己の生の崇高なる肯定であるとともに、またその実り多き拡大の予想である。

『近代思想』第二巻第一〇号、一九一四年七月一日

自我の棄脱

兵隊のあとについて歩いて行く。ひとりでに足並が兵隊のそれと揃う。

兵隊の足並は、もとよりそれ自身無意識的なのであるが、吾々《われわれ》の足並をそれと揃わすように強制する。それに逆うにはほとんど不断の努力を要する。しかもこの努力がやがては馬鹿馬鹿しい無駄骨折りのように思えて来る。そしてついに吾々は、強制された足並を、自分の本来の足並だと思うようになる。

吾々が自分の自我——自分の思想、感情、もしくは本能——だと思っている大部分は、実に飛《と》んでもない他人の自我である。他人が無意識的にもしくは意識的に、吾々の上に強制した他人の自我である。

百合《ゆり》の皮をむく。むいてもむいても皮がある。ついに最後の皮をむくと百合そのものは何《な》んにもなくなる。

吾々もまた、吾々の自我の皮を、棄脱して行かなくてはならぬ。ついに吾々の自我そのものの何んにもなくなるまで、その皮を一枚一枚棄脱して行かなくてはならぬ。このゼロに達した時に、そしてそこから更に新しく出発した時に、極めて吾々の自我は、皮でない実ばかりの本当の生長を遂げて行く。

思想は吾々の後天的所得である。しかし感情は吾々の先天的所得である。そこで吾々は、吾々の思想の上には比較的容易に批判を加え得るのであるが、しかし吾々の感情の上にはほとんど常に盲目である。感情の大部分は、ほとんど本能的のものと見做《みな》されて、至上の権威をもつものの如く取扱われる。また多くの思想は常にこの感情を基礎として築き上げられる。かくして感情は、自我の皮の中の、とかくに最も頑強なものとなり易《やす》い。

感情もしくは本能は、生物本来の生きんとする意志から出発して、生存欲と生殖欲とに分れ、更にこの二つがその周囲の事情によって千変万化して行く。吾々はこの千変万化の行程の中に、吾々の理知と直覚とを十分に働かせなくてはならぬ。何となればその間に他人の無意識的もしくは意識的強制が多分に含まれているからである。

いわゆる文明の発達とともに、人類の社会は、利害の全く相反する二階級に分れた。すなわち征服階級と被征服階級とに分れた。この事実は、人間本来の感情を、その各個人の利害のために発達させないで主として征服者の利害のために屈折させた。そして数万年間のこの屈折の歴史は、ついに吾々をして今日吾々の所有するほとんどすべての感情を、人間本来のものと思わしめるまでに至った。

感情とは極めて縁の近い吾々の気質も、多くの場合に、この征服の事実によって甚《はなは》だしく影響されている。もっと根本的にいえば、感情や気質の差別を生ぜしめる吾々の生理状態そのものまでが、この征服の事実によって等しく甚だ影響されている。

かくして吾々は、吾々の生理状態から心理状態に至るすべての上に、吾々が吾々自身だと思っているすべての上に、更に厳密な、ことに社会学的の、分析と解剖とを加えなくてはならぬ。そしていわゆる自我の皮を、自我そのものがゼロに帰するまで、一枚一枚棄脱して行かなくてはならぬ。

棄脱は更生である。そしてその棄脱の酷烈な程、それだけその更生は偉大である。

『新潮』五月号、一九一五年五月一日

僕は精神が好きだ

僕は精神が好きだ。しかしその精神が理論化されるとたいがいは厭《いや》になる。理論化という行程の間に、多くは社会的現実との調和、事大的妥協があるからだ。まやかしがあるからだ。

精神そのままの思想はまれだ。精神そのままの行為はなおさらまれだ。生れたままの精神そのものすらまれだ。

この意味から僕は文壇諸君のぼんやりした民本主義や人道主義が好きだ。少なくとも可愛い。しかし法律学者や政治学者の民本呼ばわりや人道呼ばわりは大嫌いだ。聞いただけでも虫ずが走る。

社会主義も大嫌いだ。無政府主義もどうかすると少々厭になる。

僕の一番好きなのは人間の盲目的行為だ。精神そのままの爆発だ。しかしこの精神すら持たないものがある。

思想に自由あれ。しかしまた行為にも自由あれ。そして更にはまた動機にも自由あれ。

『文明批評』第一巻第二号、一九一八年二月一日

民衆芸術論

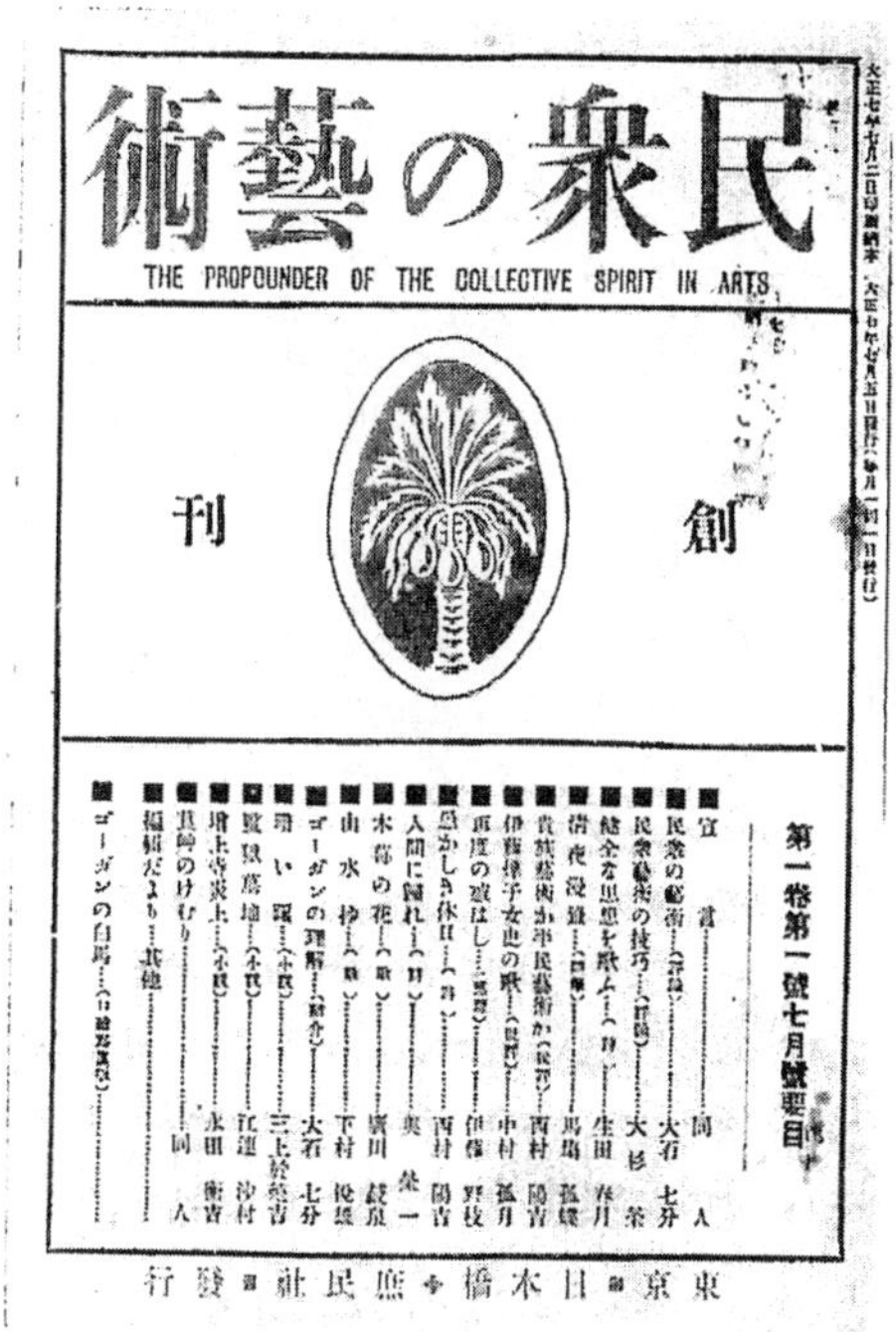

大正7（1918）年に刊行された、雑誌「民衆の芸術」第1巻第1号

民衆芸術の技巧

ロマン・ロランはその「民衆劇論」の中に、グレトリイの『民衆音楽論』の一節を紹介して、グレトリイの言葉そのままをその結論に採用している。ついでにいっておくが、グレトリイのこの『音楽論』というのは、一七九五年十月、フランス革命政府の文部省令によって国費で出版されたものである。

ロマン・ロランはいう。

平民劇からは、そばで見たり聞いたりするために作られたものは、すべて排斥されなければならない。大きな線や大きな塊でなければならない。荒い調子を出さなければならない。箒で描いたようなものでなければならない。

複雑な心理や、精緻《せいち》な情緒や、晦渋《かいじゅう》な象徴などの、客間芸術や寝室芸術とは絶縁しなければならない。そんな芸術は、もし生き延びる事が出来るなら、旧時代の劇場の中にそのよぼよぼの生命を引きずって行くがいい。吾々《われわれ》の間にいて貰うのは迷惑でもあり、厄介でもあり、滑稽でもある。

吾々の平民劇は、大きな所作、大きな線で強く引かれた姿、単純な力強いリズムの単純感情でなければならない。画架の絵ではいけない。室内の音楽ではいけない。壁画でなければならない。交響楽でなければならない。

僕はグレトリイのこの音楽論、及びロマン・ロランのこの演劇論が、同時にまたあらゆる民衆芸術の技巧上の根本的原則でなければならないと信ずる。民衆の生命そのままの現われ方であると信ずる。

僕のいう民衆とは平民労働者である。その現社会における自己の地位、自己の使命、自己の力量を自覚した、新社会建設の中心人物たる平民労働者である。

民衆芸術とはこの平民労働者の芸術である。この平民労働者が代表する新勃興階級の芸術である。その「已《や》むに已まれぬ表現である。その言葉である。その思想である。そしてまた、危機の際の自然の勢として、凋落しかかっている老衰した旧社会に対する闘いの一武器である。」

民衆芸術はまたこの平民労働者の建設せんとする新しき世界のための新しき芸術である。貴族のための、ブルジョワジーのための、旧《ふる》き社会の滅亡とともに、その頽廃し切った芸術の滅亡を意味するものである。社会の更生とともに芸術の更生を意味するものである。

平民労働者の成就せんとする革命は政治組織の革命ばかりではない。社会生活そのものの革命である。人間生活そのものの革命である。人間の思想と感情、及びその表現の仕方の革命でもある。

僕は平民労働者のこの偉大な個人的及び社会的創造力を信ずる。

僕が労働運動に身を投じたのは労働者階級の奴隷的生活状態に憤激したいわゆる人道的感情のみからではない。また社会学的もしくは経済学的理由から労働者による現社会の根本的改革を信ずるいわゆる科学的知識のみからでない。また現社会のあらゆる重圧に対する僕自身の敏感に伴ういわゆる反逆的本能のみからではない。

僕は三年ばかり前にいうた。

「僕は、ことに最近の僕は、これらの諸理由によってよりも更に他の一大理由によって、労働運動に引きつけられている事を感じる。そしてこの理由が最近の僕の労働運動に対する態度を決定しているように思われる。それはクロポトキンなどの著書によっても——ことにその『相互扶助論』によって——既に古くから僕の社会学的知識とはなっていたが、それが本当に僕の脳髄にも心臓にも深く浸み込んで来たのは、この四、五年以来の事である。すなわち僕は、労働者の悲惨な生活に対する憐愍《れんびん》とか同情とかではなく、かえってその生活の中に或《あ》る偉大な力を見出して、その力を讃美し、また自らもその力の中に同化してしまいたいと感ずるようになったのだ。

「五年以前の二年半ばかりの獄中生活の間に、僕は少しくロシア文学に親しみを覚えて、トルストイ（もしくはドストエフスキー）、ツルゲーネフ、及びゴーリキーの各々の対平民的態度について、僕にとって甚《はなは》だ興味深かった比較観察をした事がある。そしてことに僕は、トルストイやドストエフスキーが平民の温順と忍辱とに、ゴーリキーが平民の放恣《ほうし》と反抗とに各々人生の真理を認めた事に、最も興味深い対照を感じた。僕はトルストイやドストエフスキーとともに甚だ温順の徳を尊敬するものであるが、奴隷的境遇にあるものの忍辱はかえって甚だしき不徳であると考えた。そしてむしろゴーリキーの主人公の放恣と反抗とに強い同感を覚えた。

「とにかく僕は、獄中におけるこれらの文学書の影響とその以前から続けていたセンディカリスムの研究とによって、労働者の有する強烈な生活本能と、従ってまた反抗本能と、及びそれらの本能の行為となって現われた結果の偉大な個人的及社会的創造力に打たれたのだ。フランスのセンディカリスト等が、いかに刻苦してその血と肉と骨とを以て、自己及び自己の拠《よ》るべき小社会を築きあげて来たかに打たれたのだ。」

「遠いフランスの事ばかりではない。僕は既にこの日本の国においても労働者のこの力の事実を見ている。少なくとも個人的にかくして自らを創造し来たった労働者を少数ながら僕自身の周囲に見ている。そして僕はかくの如き労働者とともに更に社会的創造に入るべく勇敢なる少数者の一人たらん事を期している。」

更生は或る意味においてその原始に帰る事である。原始の精神にその新しき出発点を置く事である。

社会の更生は、その社会の歴史的発達の間に生じた種々の迷行から、再びその社会生成の原始的精神に立戻る事である。自由と平等と博愛とをモットーとして起ち、しかもあらゆる点においてこのモットーを蹂躙《じゅうりん》する現社会は、その更生とともにこの大精神に立戻らなければならない。

平民労働者はまずその強烈な生活本能の復活によって人間としての更生の第一歩を踏んだ。その生活本能の行為となって現われる前によこたわるあらゆる障碍《しょうがい》物と闘った。放恣と見られるまでに、現社会のあらゆる道徳的羈絆《きはん》を脱して、その生活本能の自由な奔放に身を任せた。

ゴーリキーの前期作物に現われる主人公は多くはこの種の破壊的平民労働者である。しかしゴーリキーのこの平民労働者はまだ自暴自棄的の分子を多量に持っていた。さきにいった「現社会における自己の地位、自己の使命、自己の力量を自覚した、新社会建設の中心人物たる平民労働者」ではなかった。が、とにかく彼等は自分の生活に自分の強い意志の大きな判をべた押しに押せばいいのだという、目覚めた人間性を持っていた。この人間性から始めて潑溂《はつらつ》とした生命が湧いて来る。創造の力が生れて来る。

ゴーリキーの後期作物の中に現われる主人公は多くはこの種の創造的平民労働者であった。試みに『母』(もしくは『同志』)を見るがいい。彼等はそのより善き生活への本能的憧憬と活動とによって、その日々の膏血滴《こうけつしたた》る生活と闘争との間に、自己とその周囲との関係を自覚して、その独自の社会的知識と思想とを獲得した。彼れはその独自の科学、独自の哲学、独自の道徳、独自の個人的及び社会的生活を創造した。そして彼等は、自ら築きあげて来たこの生活の中に、彼等自身の創造力と新社会建設の萌芽とを見出したのであった。

繰り返していう。

民衆芸術とはこの平民労働者の芸術である。この平民労働者の創造せんとする新しき世界のための新しき芸術である。

この平民労働者は今、旧社会及びその一切の所産と絶縁して、新しき出発点の下に新しき生命を創造せんとしつつある。

新しき生命は複雑な心理や、精緻な感情や、晦渋《かいじゅう》な象徴を持たない。大きな所作、大きな線で強く引かれた姿、単純な力強いリズムの単純感情、箒《ほうき》で描いたような荒い調子、これが新しき生命そのままの姿である。同時にまたこれが民衆芸術そのものの、従ってまたその技巧上の根本的原則でなければならない。

『民衆の芸術』第一巻第一号、一九一八年七月五日

この酔心地だけは

エ・リバアタリアン

彼等は彼等じゃなかった。彼等は更に他の彼等に巧みに掩《おお》いかぶせられた幾重もの殻に包まれていた。そして彼等はその中身の彼等自身を或《あるい》は他人だと考えさせられ、或はまたその存在をすらも忘れさせせられて、ただその上っ面の殻だけを彼等自身だと思いこまされていた。

Wah! Wah! Wah!
Bara-bara! Gara-gara! Doshin!
Wah! Wah! Wah! Wah!
叫喚《きょうかん》、怒号、○○、○○、○○

今彼等は彼等だ。中身だけの彼等だ。彼等にはもう教えられた何物もない。強いられた何物もない。瞞《だま》しこまされた何物もない。すべてを彼等自身の眼で見る。彼等自身の心と頭とで審《さば》く。彼等自身の腕で行う。彼等自身の魂を爆発させる。

Wah! Wah! Wah!
Bara-bara! Gara-gara! Doshin!
Wah! Wah! Wah! Wah!
叫喚、怒号、〇〇、〇〇、〇〇

彼等はまたもとの彼等に帰るだろう。彼等自身じゃない彼等に帰るだろう。そして再びまた彼等自身を忘れてしまうだろう。短い酔だ。しかし彼等が彼等自身に酔ったこの酔心地だけは……。

『民衆の芸術』第一巻第三号、一九一八年九月一日

生物学

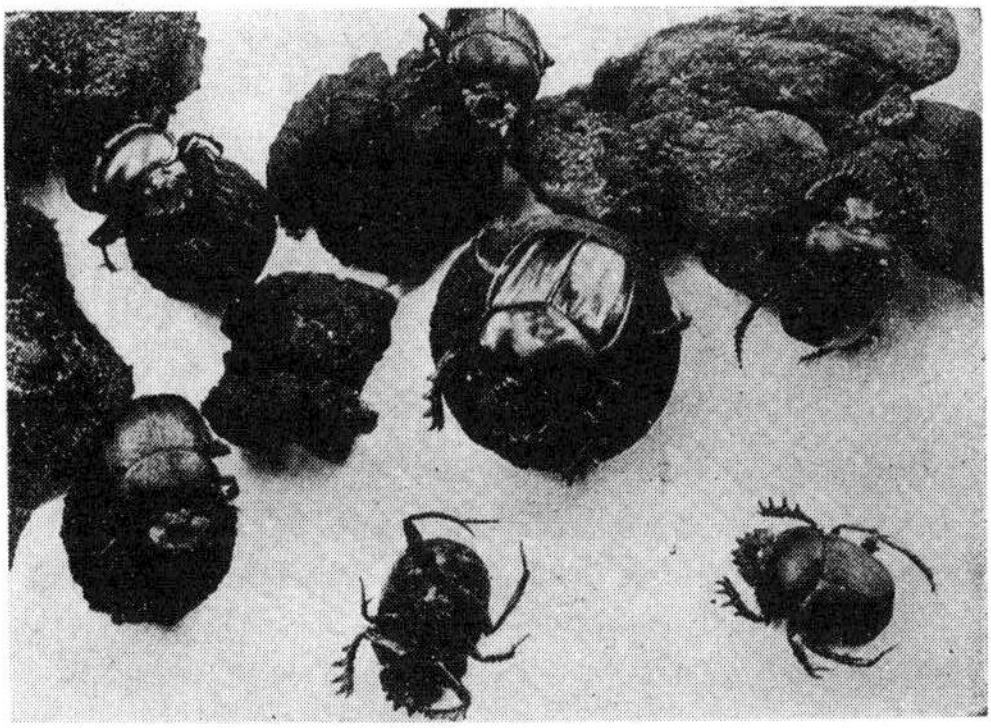

大杉の興味を引いたスカラベ（フンコロガシ）。（ファーブル著・大杉栄翻訳『昆虫記』より）

創造的進化

アンリ・ベルグソン論

一

本誌第二号所載「近代科学の傾向」の中に、僕は、自然現象に関する知識と社会現象に対する概念との、常に相反映する事実を説いた。そしてその時には、ただ自然科学と社会科学との相交渉する有様を特に力説して、この自然科学そのものがまた、常に社会事実の上から、更に精密にいえば経済事実の上から、多大の暗示を受けている事については、ついに一言の及ぶ処がなかった。そこでこの文章においては、近時流行のベルグソンが創造的進化論を藉《か》りて、少しくこの方面の事実を語りたい。

ベルグソンの創造的進化論は、その出発点を、進化論的生物学の上に置いている。従ってベルグソンのこの哲学を論ずるには予め進化論の諸学説を一応瞥見《べっけん》して置く必要がある。

ベルグソンはいう。古代の生物哲学や生物科学は、近代のそれ等が法則を重んずる如く、種属の決定を尚《とうと》んだものであると。そしてなおベルグソンは、この種属の決定を遺伝説の応用であるかのように説いている。しかしこれは原始時代の生物経済から自然に生じた思想ではあるまいか。

家畜を飼うにも、いろいろな謀計《ぼうけい》をめぐらして狩猟をするにも、また諸動物の狼藉を防ぎながら耕作するにも、原始人は必ずそれらの動物の習性を観察していなければならなかった。そしてその間に、無数の変種のある中にも、原始人の動物経済的見地からは極《ご》く少数の明瞭に区別せられる種属のある事を発見するようになった。

それともう一つ、植物経済の上から出た思想がある。譬《たと》えば麦を植えるものに取っては、動物の習性などは別に問題にならない。土を耕して、種子を播《ま》いて、肥料を施して、そして必要があれば水を灌《そそ》いで置くだけの事である。従って彼等にとっては、生物学的作用は播種《はしゅ》の時に始まって収穫の時に終る。換言すれば生は芽から芽までの経過の中に含まれる。そしてこの経過が季節によって支配せられ、その季節がまた、太陽によって調節せられている事に、やがて思い到る。かくして芽から芽までの経過が天文学と結付かって、天体の運動の厳密に規則正しい事から、植物の各生代の絶対的類似を仮定するようになった。そしてそこに植物経済から生じた、しかし動物経済からの夫《そ》れともしばしば混合する、種属の概念が出て来る。

かく生物経済は二様の種属概念を生ぜしめたのであるが、やがて社会進化に伴って種属不変の思想が破壊せられるとともに、恰《あたか》もこの二概念に相当する、二種の甚《はなは》だ相異なった進化論が唱え出された。

二

すなわち第一概念は、科学の目的を動物習性の研究に向けて、種属の変化をその個体が生存している周囲の諸条件の結果として観る、一進化論に導いた。この進化論に拠《よ》ると、個体が変化の主であって、芽すなわち生殖細胞は祖先が得た新しき性質を子孫に移すただの機関に過ぎなくなる。

そして当時のこの思想の最も自然の発達は、一切を個体そのものの渇望と内的努力とに結付けて、変異性の本質を心理学的に説明する事であった。ラマルク及びことにコープの見解はすなわちこれであった。麒麟《きりん》がだんだん上の方の木葉を得ようとして、その頸《くび》を延ばして行くという話は、ラマルク説の有名な例になっている。

しかるにやがて適応論そのものに更に分化を生じて、アイメルは、この心理学的説明に反対して、単に物理化学的方面のみを以て、進化論を建設しようとした。そしてアイメルはことに光線と熱との研究に耽《ふけ》って、この方面からの変種を説明しようとした。

　これに反して植物経済の産んだ種属の第二概念は、個体の習性という事よりも芽から芽への経過を科学の目的とした。そして自然淘汰と雌雄淘汰とによって個体が適応の上に大《おお》なる役目を勤めるというダーウィン説を橋渡として、ついに芽が変化の主であって、個体はこの芽の容器に過ぎないという新ダーウィン説に到達した。

　蓋《けだ》し芽がいつも同じ形の下に再び現われて来ないとすれば、この芽の活物としての性質を与えなければならぬ事になる。ワイスマンは個体を分けて、その個体生活の変化に影響せられる全体と、及びその種属の運命を携えて行く芽との二ッとした。そしてこの芽の種属的生命という事が研究の主題となった。しかるにここにもまた、生に対する二概念から、二種の異なった進化説を生ずる事となった。

　生は予め決定せられた案を実行して行くものと見る事が出来る。そしてこの概念から目的論的進化説が産れた。キルマイエル等の独乙《ドイツ》生物哲学者はすなわちこれである。けれどもまた生を創造として見る事も出来る。そしてこの創造という事が、近代科学の方法によって、或る一刹那に決定せられるものとなった。すなわち生とは、自然が生物の使用するに任した材料を利用して、不意に或者を創造する努力である。また芽すなわち生殖細胞とは、種属変化の潜力貯蔵的ともいうべきものである。

なおデ・フリースは更にこの芽の種属的生命に著しき特性を付して、種属は固定と変化の二時期を通過するもので、変化の時期が来ると、種々《じゅじゅ》なる方面に、意外の変種を生ずる、といっている。

三

ベルグソンはこれらの諸進化説を詳説しかつそれぞれ批評しているが、要するにさきにいった第二概念から出たこの生物学説を出発点としたものである。

ベルグソンはいう。「生とは、或る発達したる有機体の仲介によって、芽から芽に行く流れの如きものである」。「されば一般生命を抽象のものとして、或はあらゆる生物をその下に書き並べるただの標題として見る事は出来ない。或る一時機において、空間の或る点において、明に眼に見える流れが生じて、この生の流れが、その順々に組織した体を通って、一生代から他の生代に移って、そしていささかもその力を失う事なくむしろその進むに従ってますますその力を増しつつあらゆる種属の中にまたあらゆる個体の中に分かれ散ったのである」。

またベルグソンのいわゆる「活躍」とは、一榴弾《りゅうだん》が爆発して、それがまた粉々の榴弾になるのと同じ意味のものである。「生とは傾向である。そして傾向の本質は、ただその生長という事実のみによって、その跳躍の分れる種々の方面を創造しつつ、束の形になって発達する事である」。「各々の種は、その種の成立せらるる行為そのものによって、その独立を確め、そのむら気を追い、多少の脱線をして、時としては更に坂を登り、そしてその元の方向に背を向ける」。

なおベルグソンは、この方向について、目的論を絶対に排斥している。「実現さるる案以上のもっと善いものがそこにあるのである。案とは或る仕事に指定した極限である。将来の仕組を施して、将来を閉じてしまうものである。これに反して生の進化の前には、将来の門が大きく開かれている。生の進化は、発意的運動によって、目的なくして生ずる創造である」。「もし生が或る案を実現するものとすれば、生はその進むに従って、ますます高き調和を現わさねばならぬ事となる。これに反して、もし生の統一が全く時間の道の上に生を押して行く跳躍にあるとすれば、調和は前方になくって後方にある事となる。統一は後ろからの無理押しから来る。すなわち始めに衝動として与えられたもので、誘惑として先きの方に置かれたものでなくなる。……かくしてあらゆる種の間の不調和がますますはなはだしくなる。……進歩はますます複雑になりそしてますます高尚になる生物の二、三の大進化線にのみ行われて、なおこれらの線の間に無数の小径があって、そこに錯行や定着や退歩が集まる。」

かくこの生の進化は、中々思うように好都合に行くものでない。「仕事と結果との間には大なる不権衡《けんこう》がある。……しばしばその努力が、或は反対の力によって殺がれ、或はその為しつつある事によってその為さねばならぬ事から外れたりして、行きつまってしまう。……一般生命は易動性そのものである。しかるに生の特殊の発現は、いやいやこの易動性を採用し、かつ常にその運動を遅らせる。一般生命は常に前方へ進んで行くのに、その特殊の発現は或る場所に足踏みしようとする。……すなわち生は出来るだけ動こうとしているのだが、各々の種は出来るだけ少量の努力を与えようとしているともいい得よう。……生が通過して行く各々の種は、便益のみを当てにしている。最少量の苦痛を要するものの方へ行く。……されば不成功が規則であって、成功は例外で、しかも不完全である」。

四

僕は今、ベルグソンのこの創造的進化論が、いかなる社会事実からの暗示を受けているかを観る前に、さきにいった諸生物学説に後戻りして、それらのものが社会の経済状態によって製造せられ、または促進せられたものである事を一言して置きたい。

エドモン・ペリエはその著『ダーウィン以前の動物哲学』において、形態学の中に経済学の思想が輸入せられている事に喫驚《きっきょう》している。そしてマイルン・エドワーズが一八二七年において、経済学の法則と一般生理学の法則との間の一致を説いた、最初の人であるといっている。

実にエドワーズは分業の思想を、またダーウィンは競争の思想を、生物学に輸入したのであった。

さきにいったコープのいかにもパラドックスめいた心理学的動物学説も、亜米利加《アメリカ》の経済界と比較して見れば、容易に了解する事が出来る。コープに拠れば、万事はその当事者の活動によって決せられる。「官能は進化の中の根本的重要のもので、従ってこの官能の原因という事が必要の問題となる。……運動の必然的準備は努力であるといい、また任意的運動と自働的運動との区別を云々《うんぬん》すれば、私は形而上学的範囲に入るかも知れぬ。……けれどもいかなる運動もその実行せられた最初の時の外は自働的でないのを見れば、私はあらゆる運動の直接原因を努力であるとして認めなければならぬ。……努力とは或る意識的状態である、乗り超えようとする抵抗の感覚である、……されば意識は有機体進化の上昇的階梯《かいてい》に必ず欠くべからざるものである」。コープのこの文を読んで、成上主義の亜米利加人が、その努力によって成功し富財を獲得しようとする生活を、誰《だ》れか思い起さずにはいられよう。ジェームスの意志哲学プラグマチズムなども、要するにこのヤンキー生活から出たものである。

ダーウィンのいうような微々たる変化が、何《ど》うして旧種に対する新変種の勝利を確めるのであろうかとは、今日ダーウィニズムに対する最も恐ろしき反対論である。ダーウィンのような賢明な学者が、ここにその淘汰論を打崩してしまうような異論の出る事を、何うして予見し得なかったのだろうか。しかしこれも当時勃興しかかった資本家制度の事を思えば、容易にその無理もない事が分かる。聡明な資本家は、一事業が思わしくなければ、その事業の没落を待つ前に、直ぐにその活動の方向を変える。一寸《ちよつと》した失敗があれば、それが直ちに他の事業へ移らしめる指針になる。この精神状態が生物学の中へ無意識に輸入せられたのである。そして人々もまたこの甚だ疑わしい仮定を容易に承認したのである。すなわちこの生産物競争の原則が、生物学の中に仮装して入って来たのである。

ラマルク説やダーウィン説の一根底となる遺伝説に対して、当時の諸学者がやすやすと雷同したのも、要するに工業状態のさせた業にすぎない。当時の遺伝説は全く独断説であったのである。そしてベルグソンのいうが如く、スペンサーすらも、始めからこの説の真偽を確める事を問題としなかったのである。工業の急速な進歩をした当時においては、前代の既得物が後代に利用せられるという事は、疑を容《い》れるべくもない。また資本家にとってはこれが一大事である。そこでまずその証拠を生物学の中に求め、次にそれに基づいた進化論から社会的結論を引いて来るようになった。

『生の科学』の著者トムソンが、ダーウィン説は当時の工業状態に最も都合の善かった説である、という意味の誰れかの言葉を引いているが如く、ダーウィン説と資本家の心理状態とを比較すれば、その間に驚くべき多くの類似を発見する。

けれども今ベルグソンを主題として論じている僕は、急いでその本論に移らなければならぬ。次号にはベルグソンの進化論と叡知論と本能論とについて、或は更に進んで直覚論について、多少の経済史的解釈を下したい。

『近代思想』第一巻第七号、一九一三年四月一日

生物学から観た個性の完成

一　生命そのものの暗示

「不慮の出来事というようなものは、もう私には起らない。今私に何《な》にか起るとすれば、それは皆《み》んな私自身なのだ。」

とニーチェのツァラトゥストラはいった。そして、これによって、その個性の完成を世界に宣言したのであった。

これをもう少し分り易くいえば、「俺《お》れはすっかり偉くなったんだぞ。俺れはもう俺れ以外の何人もの、また何物もの、支配も世話もお蔭も蒙《こうむ》らない。俺れは俺れだけの、何にもかもから独立した人間になったんだ。俺れのする事は、また俺れに起る事は、一切万事この俺れが承知の上で俺れの力だけでやるんだ。俺れは全知全能の神様なのだ。」とでもいう事になるだろう。

馬鹿げ切った小言だ。と科学者はいうだろう。科学者でなくても、少しでも物事を客観的に見、客観的に考える人は誰《だ》れでもがそういうだろう。しかし、果《はた》して、そういい切ってしまうのが本当に科学的な態度だろうか。

もちろんこの言葉は、ツァラトゥストラのほとんどすべての他の言葉と同じく、一大夢想家の、しかしまた一大精進家のほとんど全く主観だけから出た一豪語に過ぎない。精神病学者でない科学者の、ことに動物学者の、研究範囲を遥かにそれを、歯牙《しが》にもかけるに及ばぬ事だといえばいえる。けれども、同じ夢想でも、なまけ者の夢想と精進家の夢想とは違う。なまけ者の夢想は生の疲れから出る。精進家の夢想は生の戦いから出る。そこには潑溂《はつらつ》とした生の要求がある。そこには生がその飽くなき要求に従って勇猛精進し来たった道が、従ってまた更に勇猛精進し行かんとする道が示されている。生命の運動の方向が示されている。

果然《かぜん》、大精進家の夢想は、決して単なる言ではなく、かえって科学者のいまだ到達し得なかった真実の暗示であるのだ。生命そのものの暗示であるのだ。この暗示に耳を傾けない科学者は本当の科学者ではない。

生命の運動の方向！　科学者ことに生物学者、動物学者にとって、これ程興味深い研究題目があるだろうか。そしてこの題目を更に個性の運動の方向というもっと狭い範囲に限って、動物学の見地から、哲学者ニーチェの主観と直覚とに科学の純客観的真理を裏書きしたものは、オックスフォードのもとバリオル大学講師ジュリアン・エス・ハクスリーであった。この『動物学から観た個性の完成』一篇は、その大部分をハクスリーの『動物界の個体』（The Individual in the Animal Kingdom. The Cambridge Manual of Science and Literature）から借りた、ハクスリーと僕との無断合作である。

二　個体の独立性

往々動物学者は意識のない有機的個体の話しをする時にでも、個性という事についてのはっきりした概念も持たず、またこれは高等な個性だとか劣等な個性だとかいいながら、その高等なとか劣等なとかいう本当の意味を知らずにいる事がある。で、まずそこから大体きめてかかろう。

元来、物事の研究には静的と動的との二つの主なる方法がある。たとえば、個性というものの性質を定めるのに、普通吾々《われわれ》が個体と呼ぶ事に一致しているいろいろなものを比較して、そのすべてのものに共通する極限すなわち最高共通限度を見出し、それを個性の最低概念とする事も出来る。これは静的方法だ。またあらゆる個体を通じての個性の運動を調べて、或者はその個性がより完全だとかいう事を見出して、その運動の進んで行く方向を定め、それによって完成個体の諸特性を推知し、同時に個性の最高概念を得る事も出来る。これは動的方法だ。従来の学者は多くはただこの第一の方法だけによった。しかし、変化とか進歩的変化、すなわち進化とかいう事が生命の根本的性質の一つであるところから見れば、第二の方法がより自然的であるはずだ。そしてまたその中に第一の方法が自然に含まれているはずだ。で、主としてこの第二の方法によって、個性の概念を調べて見よう。

そこで、まず普通に個体と呼ばれているいろいろな動物を一瞥《いちべつ》して見ると、もちろん多くの傍道もあるが大体においてそれらの諸動物はただ一と筋の本道に並べられて、その本道を進むに従って個体の特性がますます明白にかつますます完全になって行く。そしてこの特性の一つは、外界及びその影響からの独立、すなわちツァラトゥストラと同じように不慮の出来事を受けないという事だ。尤《もっと》もこの独立というのは、外界の何物にも頼らないという消極的のものではなく、かえっていろいろなものを利用して自分の仕事の材料にするという積極的のものだ。たとえば、家を造るには材木に頼らなくちゃならぬ。しかしこうして材木に頼って家を造る方が、材木にも頼らず家も造らずにいるよりも、遥かに多くの独立を得られる。頼るというよりも自分のものにするのだ。ツァラトゥストラが、「もし私に何《な》にか起るとすればそれは皆私自身なのだ」といったのも、要するにこの意味に外ならぬ。

さきにいった本道の先頭に立っている文明人は、かく自然を自分のものにする事によって、野蛮人よりも遥かに個性を持っている。また、この本道の最後のしんがりを勤めている原生動物でも、自分で自分のからだを動かすという多少の独立の力を持っている。自分自身では何《な》んにも出来ない無機物の塵《ちり》ほこりとは違う。

しからば、どうしてこの独立が原生動物から高等動物にだんだん加わって来たかといえば、それには三つの原因がある。一つはそのからだが大きくなった事だ。次ぎにはそのからだの構造が複雑になった事だ。そして最後には知覚や記憶や推理などの脳髄の働きの発達からその外界に対する適応性が増した事だ。

文明人はこの三つの点から見てあらゆる動物の中でも最も独立している。しかしまだ不慮の出来事から全く独立したものとはどうしてもいえない。「不慮の出来事というようなものはもう私には起らない」という程のものになるには、この三つの性質のどれか一つを完全に備えなくちゃならぬ。

しからば人間にそれが出来るかというに、まずとても出来そうにない。たとえば、からだをだんだん大きくしていって宇宙と同じ大きさにでもなれば、もちろん外界から全く独立する事が出来よう。そうなれば頼るべき外界そのものまでが無くなってしまう。しかしこれはとても出来ない相談だ。それでは、どんな出来事にでも応ずる事の出来るようなあらゆる構造を自分のからだに備えつければ、もちろんそれで完全な独立は得られる訳だが、この出来事というのがもともと無限にあるのだから、そうも行かない。

ただ一つ出来そうなのは、最後の知覚とか記憶とか推理とかの精神的力を完成させて、無限の出来事のどんなものにでも応ずる事の出来るようになる事だ。しかしこれとても果して出来るかどうかだ。かの超人のツァラトゥストラと雖《いえど》も、恐らくは全く不慮の出来事を免かれる事は出来まい。いくら偉いからといっても、一切の事を経験し、一切の事を記憶し、一切の事を理解する事は出来そうもない。しかもこれが出来なければ一切の出来事を免かれる事もやはり出来ないのだ。

超人に出来ない事が人間に出来るはずはない。しからば人間はその個性の完成をあきらめねばならぬかというに、生命はそんな意気地のないものではない。どこまでも勇猛精進する。行きづまるという事を知らないのが生命の本質だ。

だが、それはまあそうとしておいて、この第一節の結論としてはただこれだけの事を知っていればいい。生物はその根本基礎たる原形質の性質上、生理的に、第一、第二のいずれの方法によってもその独立性を大して進める事は出来ない。ただ第三の方法すなわちその精神の働きという潜勢力を増す事によって、実際はそれ程大きなからだでもなくまたそれ程複雑な構造を持たんでも、余程の不慮の出来事から免かれる事が出来る。

三　個体の異質性

しかし個体の独立性という問題から見たニーチェのツァラトゥストラは確かにこれで行きづまった。そこでは、やはり現代の一大哲学者、ベルグソンの言葉を援《たす》けに引いて来る。「生命は個性を求めて止まない。そしてますます自然に孤立し自然に閉塞した体系をつくろうとする。」

すなわちベルグソンは個体を「自然に孤立し自然に閉塞した一体系」と見ているのだ。体系には各部分とそれが統一された全体とがある。そしてこの統一という事が、体系の肝心な本質なのだ。それに有機体の体系では、一部分が全体から切り離されると、その部分は全く意味のないものになる。たとえば手とその作用とは、からだ全体の作用から切り離されれば、何んの意味もないものになってしまう。しかるに無機物の体系では、一部分は全体から切り離されても、その意味を失わない。また体系そのものもその一部分を切り離されても、大した差支えもないように見える。山を半分削って海の中へ投げこんでも、山はやはり多少の形が違っただけで山として残っている。ベルグソンに拠《よ》るに、だから無機物の体系は、この上もう分け離す事の出来ないという個体、すなわち an individual ではなく、分け離しは出来るがただそれだけで特殊の一体をなしているというに過ぎない殊体、すなわち a particular だ。

ベルグソンのこの言葉とさきのニーチェの言葉とを照らし合わせて見ると、ニーチェのは個体の活動原則を、ベルグソンのはその活動が個体全体の利益のために行われるようにする内的統一を説いた事になる。そしてこの後者の全体の統一という裏には、個体の異質性、すなわち各部分の性質が違っているという事が含まれている。更にこれを一言にいえば、ニーチェは個体の独立性を、ベルグソンはその異質性を説いた事になるのだ。

最初の生物は、その化学的成分が同質のものであったと仮定する。また多分そうであったろうと思われる。果してそうとすれば、その生物は自然の勢として多少きまった形をきまった大きさの塊《かたま》りとして存在し、またその分子の構造を多少複雑にして一化学的成分としての存在を続けて行くのに必要ないろいろな作用を行っていたとしても、やはり、それは十分な個体とはいえない。なぜかといえば、その塊りには単一性というようなものはない。その塊りはただの集合体に過ぎない。それを二つに分けても三つに分けても、また十、二十、五十、百に分けても、そのいずれの部分ももとのままの働きを続けて行く。が、もし人間の手を切ってそのからだを二つに分ければ、主な部分の方の人間のからだは余程その働きが鈍くなり、手の方の働きはそれっきり永久に駄目になってしまう。

この最初の生物が進んで、同質的でない生物が生れた時、さきにいったあらゆる動物の吾《わ》れ先きにと進んで行く完全個性への本道が始まる。そしてこの本道をさきへさきへと進むに従ってますますその異質性が大きくなる。

個体はその独立性を完全にするには、そのいろいろな作用すなわち働きを精確なそして互に独立したものにしなくちゃならぬ。そして、少なくとも意識のない有機体では、作用が違うには必ず構造が違わなくちゃならぬ。従って或る個体がより多くの独立性を得、より多くの個性を得るには、その各部分の異質性を増さなくちゃならぬ。

そこで構造の複雑な異質性が現われて来る。敵に対する攻防の器官、自己の営養の器官、生殖の器官、というようにその構造がことに或る一作用に適応したいろいろと違った器官が出来る。そしてその一つの器官そのものもまたいろいろと違った異質の部分から出来上る。たとえば、この話をもっと進めて行くのには便宜のいい、そして前にも挙げた一例の人間の手をとって見る。人間の手が精確に物を捉《つか》む力を持っているのは、それがいろいろと違ったしかし統一された多くの部分から出来上っているからだ。物を捉むという作用は分け離しの出来ない単一の行為だ。しかし、とにかく物を捉むには、その器官が別々の違った部分から出来上っていなければ駄目だ。これと反対の極端な例を挙げれば、アメーバの偽足にはその各部分の分化という事がない。従ってその作用は極《ご》く少なくかつ極く不確だ。

かく或る作用がますます有効になりますます独立的になるには、その構造がはっきりと目に見える異質性を加えなくちゃならぬ。ところが、今いった人間の手を見ると、それがただ一つの手という器官ではありながら、随分多くの随分違ったいろいろな働きをする。すなわち同じ一つの構造の作用をするも異質的にする。特殊の作用には必ず特殊の構造がなくちゃならぬはずだ。しかるに人間はその脳髄という構造の発達のお蔭で、無機物で道具を造る事を覚え、その道具をいろいろな構造の代りに使って、それにいろいろと違った作用をさせる。すなわち人間はその意識の推理力によって、別々の作用のために別々の構造を造るという重荷を、自分の弱い小さな肩から自然の頑丈な大きな肩へ移したのだ。こうなると、作用の異なるに従う目に見える構造の違いはなくなる。そして目に見えない意識の状態の差異という事だけになる。

もちろん人間はこのいろいろと違った意識の状態を同時に持っている事は出来ない。しかし、その意識や推理の進むに従ってますます発達して来た記憶のお蔭で、いつでも入用の時にはその入用のどの意識状態でも呼び起す事が出来る。かくして個体は、同時に存在する諸構造の異質という方法によってその完全個性への長い道を進んだあとで、時を違えて存在する、従ってより無数でありかつより異質的である意識状態の異質という新しい方法を発見したのであった。これがこの第二節の結論だ。

同じ一つの盾である個体の独立性と異質性という二つの面が相依り相助けて、その個性の完成に努めている事は分った。しかし、ここまで来ると、さきのツァラトゥストラの行きづまりと同じ行きづまりが、やはりこのベルグソンにも来る。こうして飽くまでもその意識状態の分化を続けて行って、それで果して個性の完成が出来るだろうか。やはりどうも疑わしい。

四　個体の持続性

しかし個体の独立性と異質性とをここまで説いて来ると、こんどはそのもう一つのものと重大な最後の特性、すなわち個体の持続性という事を思い浮べない訳に行かない。

今までは個体はただ、「多種多様な統一体」として説かれて来た。すなわち個体は、生理的構造とか意識の組立とかいうその存在の状態においても、それよりももっとその本当の神髄であり、実際の生命であるその活動の方法においても、実に千差万別の有様を呈《てい》している。そしてその構造や組立の千差万別なただその作用を千差万別にするためのものであるが、この千差万別のいずれの一つでもその個体全体と連絡して考えなければ何んの意味もないものになる。で、今までは問題はただ各部分と全体との関係という事であったが、こんどは全体とその全体自身との関係に移る。更に言葉を換えていえば、今までは平面的空間的にだけ見ていた個体をこんどは立体的時間的に見ようというのだ。

尤も今までだってこの問題に触れていないのじゃない。前節の終りの「時を異にする意識状態の違い」というのは、既に立派にこの問題にはいっている。すなわちこの問題は、或時の個体全体の働きとその後の或時のその働きとの関係という事になる。そしてこの問題については、やはり第二節の手の例のところで、既に窃《ひそ》かに答えておいたはずだ。すなわち、手とその作用とはからだ全体と関連して始めて意味があるといった時には、その一瞬間の全体を指しただけでなく、時間の上に継続した存在を持っている全体をも指したのだ。手が一ときれのパンをつまみ上げて、それを口へ入れたとする。この手の行為は、その瞬間だけの事を考えれば、全体の人間にとってはちっと甘味《うま》かったという事くらいの外には何んの意味もない。その本当の意味は時を経てパンが消化され吸収され循環されて、全体のからだのあらゆる部分の餓えをいやした時に、始めて現われるのだ。

今までいった事は個体に多少の持続性のある事を予想した上の話である。が、実際個体のこの持続性は、あらゆる生物に共通し、かつその存在の基礎の一つになっている。

印刷器械は本を印刷する。しかし印刷されてしまった本は、その印刷器械にとっても何んの役にも立たず、またその器械の生命である作用すなわち印刷をするという事にも何んの役にも立たない。しかるに個体は、それを一種の器械として見ると、その作用の結局は本というような物質的の生産をするのではなく、ただ個体そのもの及びその作用そのものの継続に役立つだけの事だ。すなわちあらゆる部分が一緒になってその全体の持続を続けるために働いているのだ。

しかしこの持続には限りがある。すなわち死という事がある。死んでしまえば個性の完成もへちまもない。

だが、いったい死とは何んだ。この死という一つの言葉の中には、二つの違った概念が含まれている。すなわち、生きた原形質が生きた原形質としての存在を絶った時の実質の死と、その実質を含んだ個体の死とがそれだ。人間ではこの二つの死が一緒になっている。しかし多くの下等動物ではそうじゃない。今その最も単純な例を挙げれば、いずれも立派な個体であるアメーバやパラメエキイアムのような原生動物は、絶えず生長して行って、或る大きさにまで生長すると半分ずつに分裂して、その各々の半分が親と同じような新しい個体になる。その間には一滴の実質も失われるのではない、ただ親の個体がなくなって、その代りに二つの新しい個体が生れるのだ。

生物の生理的基礎は原形質である。原形質は物質としてのいろんな性質、いろんな制限を持っている。そして原形質のこういった性質の上から、生物はその完全個性を得ようとして進んで行く道の前に、いかんともする事の出来なかった一つのディレンマに出遭ったのだ。

生長というのは新陳代謝の同化作用における損益勘定の貸し方残高を示すものである。この生長は原形質の固有の性質であるか、それとも多分は容易に獲得した性質であろう。いずれにしても、この生長という事はあらゆる原形質に、その生存の全部もしくは大部分の間を通じて遍《あまね》く行われている。しかるに、もしこの生長が或る一つの個体に無限に行われるとなると、そこに二つの恐しい事が起きて来る。第一には単にそのからだを大きくするというだけの事にいろんな致命的の困難が起る。第二にそのからだの重さが増えると、それを支えるために何等かの骨骼《こっかく》または足場様のものが入用になって来る。生きた原形質はそれ自身が十分堅いものではないのでこの骨骼は原形質の分泌物である、死んだ物質で造りあげなくちゃならぬ。従って原形質のようには、自ら更新して行く生命力を持たない。その上に絶えず外界の残忍な処置やいろんな敵の襲撃を受けなくちゃならぬ。そこでついには、その最も古い部分が枯れ朽ちて、全体を滅落させてしまう事になる。

すなわち生が個体に無限の生長を許した時には、その結果として実質の死が来る。また原生動物における如く個体が或る大きさに達するとそれを二つに分裂させて、実質を生かして行こうとする時には、その結果として個体の死が来る。実にいかんとも仕方のないディレンマだ。かくして個体の持続性による個性の完成も一とまず行きづまりになった。

五　種の持続性

しかし原生動物がその個体を破壊してその実質を分裂させた時、そこにその同じ実質の別々の塊りの中に前の個体と同じような二つの新しい個体が生れ出たのだ。すなわち、一旦個体の持続性が失われたようなものの、実はその実質も個性も新しいしかも二つの個体を通じて持続されているのだ。そこでこんどは単純な個体の持続性から、同じような個体の種類すなわち種の持続性の問題に移る。

元来原形質は非常な自己調整力を持っている。その種の特性になっている個体の構造方法は、原形質の或る塊りの中に現にそして明かに存在している。また或る大きさ以上のこの塊りの中には、そのどの部分の中にも隠にそして潜かに存在している。ビゴニア（秋海棠属《しゅうかいどう》）の葉を破って、それを切れ切れに引裂いて見るといい。その一ときれ一ときれは各々その潜勢力を現わして、下の方には根を出し、上の方には芽を出して、ついにそれだけで立派な一本のビゴニアになる。そして生は、原形質のこの調整力のお蔭で、前にいったそのディレンマから救われるのだ。すなわちこの力のお蔭で生殖という事が出て来るのだ。

生殖という事の神髄は一つの個体がそれ自身の中から新しい個体を創り出す事である。人間のように子を産んだあとでその親が生きていてもいい。また原生動物のように子を産むと同時に親が無くなってしまってもいい。そんな事はどうでもいい。要はただ、いずれの種においても、時間の上で個体の継続があり、その個体の各々が前の個体の実質から出たもので、そして共通の構造方法に基づいて造られていさえすればいいのだ。

かくして生は、個体の死になって一旦中断されたように見えた完全個性への本道を、更に生殖によって続けて行く事が出来るようになった。たとえば高等動物では、一個体は或る点まで完成されて、自分自身のための出来るだけの独立性を得る。しかるにやがて、時を経るに従ってますます、自分自身を支えるいろんな組織の補充が出来なくなり、自分自身の中で闘っているいろんな作用の損益勘定が出来なくなると、ついに生殖の援けを呼ぶ。すなわち自分の実質で新しい個体を創って、自分自身はその運命のままに任せる。かくして自分の形は一旦死ぬのであるが、その内容は更に新しい形となって、他の個体の中に、その種の中に生きて行く。

そこで前節にいった、個体とはそのあらゆる部分が全体及びその作用の継続を続けさせるために一緒になって働く一全体である、という定義をちょっと修正しなくちゃならぬ。個体は或る限られた時間しか生存しない。しかしその或る何物かが永久無限に持続して行く。それは一個の個体そのものではなく、その個体の種類すなわち種である。この種にはその種の持続というただ一つの作用しかない。この作用は回帰循環的にすなわち幾度も幾度も同じ事を繰返して行く。そしてその帰って来る一と循環ごとに、その作用の道具になる新しい個体が要る。すなわち各個体は種という全体及びその作用の継続を続けさせるために皆んな一緒になって働くのだ。そして、こんどこそは、その持続性が永久に亘《わた》って行く。

尤も或る一つの種及びその作用は、決して変化のない、永遠のものではない。或る個体が種のために働く作用と、その子孫の個体が働く作用とは、決して絶対的に同じものではない。そしてまた、作用と構造とは相関的のものなのだから、この二つの個体はその外観においてもまたその組立においても決して精確に同じものではない。一つの個体そのものについていっても同じ事だ。子供の時と大人の時とは違う。年頃になれば、子供から大人に変わる危機が来る。しかしかくして子供から大人に移る全体の道筋は連続している。種にもやはりやがて新しい種に変わる危機がある。しかしその種と新しい種子との間には、実質の持続という極めて明白な連続がある。個体がその種の他の個体から生れ出たものであると同じく、種もまた生物の他の種から生れ出たものである。そしてまたあらゆる生物は、別々に離れて生活し別々に違った個性を持ちつつも、やはり同じ実質の原形質が手出しこそしない、しかしなかなか頑強な無機物の世界に侵入して攻略して前へ前へと進んで行く、ただ一つの連続した流れの一部分に過ぎないのだ。すべてのものは連続している。

六　人間の永続性

そこで、同じ種類の個体が集まった種を新しい大きな一つの個体と見て、個性完成のこの議論というよりもむしろ事実の記述、を進めて行く事も出来る。しかしそれでは生活が余りに飛び過ぎもし、また余りに大き過ぎもするので、今はそれを遠慮しておく。そしてまたもとの単純な個体の話に立ち戻る。

さきの個体の独立性の話の時にも、またその異質性の話の時にも、個性完成のともかくも最後の王冠を戴いたものは人間であった。しからば個体の持続性については、果して人間はどんな地位を占めるのであろうか。

この持続性の最も少い生物、すなわちバクテリアなどではわずかに数時間もしくは甚だしいのになると数分間の寿命しか保たない。これが前にいった完全個性への本道の第一歩である。そしてこの本道を進むに従って、個体の寿命はますます長く、更に単細胞動物が複細胞動物となり、また全体を二つに分裂させた生殖が全体の一小部分を分離さす生殖となるに及んで、いよいよますます長く延びた、すなわちその産んだ子が活躍する幕の半ば頃までも舞台の上に出しゃばっているようになった。喬木《きょうぼく》などには五百年も生き延びるのがある。

しかるに三たびまた、ここにも意識の問題がはいって来る。そして人間は、三たびまた、この持続性についても最後の王冠を戴く事となった。すなわち人間はこの意識の発達によって、その実際の寿命はともかく、死んでからでも自分の一部分を永遠に働かせる方法を見出したのであった。まず話しする事によって、更に書く事によって、更になお印刷する事によって、人間はその死後にまでも自分自身の何物かを残す事が出来るようになった。伝説や書物の中にはその個人の全部が残っている。そしてその一部分は、違う場所違う時代の他の多くの個人に影響して、永遠にその活動を続けて行く。紙の上に列《なら》べた黒いインキのしるしは、それを書いた人の骨がとうの昔しに、土埃《つちぼこ》りと化した後にでも、人を泣かせる事が出来る。

かくして生物は、幾度かその完全個性に進む本道を、物質的の到底超える事の出来ないような障碍《しょうがい》物に妨げられながらも、今またその意識の翼を張って、頑強な物質を眼下に嘲笑《あざわら》いつつ、匍《はらば》い登っては行けない、深山幽谷の上を軽く飛んで行くのであった。

もう一度話をあとへ戻す。というよりはむしろ最初から立戻って見て、全体を結論的に繰返して見る。

まず個体の最低概念が分った。個体はいろんな異質の部分から成り立たなくちゃならぬ。そしてその各部分の作用は全体に関連して考えられる時にのみ十分な意味がある。個体は無機界のいろんな力から多少独立していなくちゃならぬ。また個体は、自分でもまたその実質の一部分で造られた新しい個体でも、絶えず同じようにして働いて行く事の出来るような具合に働いて行かなくちゃならぬ。

次ぎに個体の最高概念、すなわち完全個体とは何んぞやという事が分った。完全個体の特性は、ちょっと吾々の感覚には分らんが、とにかく今いった個体の諸特性を無限に向上させたものだ。更に言葉を換《か》えていえば完全個体は完全な内的調和と物質や時間からの完全な独立とを持っているはずのものだ。

最後に、しかもこれはこの話の中での最も肝心な事なのだが、生物がその個性の完成を得ようとして進んで来た道筋が分った。始めは自分の生理的基礎のいろんな制限に甘んじていなくちゃならなかった。従ってその結果は要するに一つの妥協に過ぎなかった。自分の考えた通りの結果じゃない。自分の持っている不完全な材料で運べるだけの結果だ。

最初この道筋は一直線だった。すなわち、ただそのからだを大きくしたり、構造を複雑にしたり、または寿命を延ばしたりして、その生理的基礎の出来る限りの力を尽そうとした。しかるにとうとうそれだけではもう一歩も進む事が出来ないところまで来た。

それまではただ、その仕事の範囲は自分の実質の塊りそのものだけでやれる事に限られていた。その仕事の種類は自分の実質の複雑さに限られていた。そしてまたその仕事の長さは自分の実質の寿命に限られて来た。しかるにこんどはこの実質の制限を突破して進む新しい道筋を発見した。脳髄の発達、及びそれに伴う推理力と記憶力との発達がそれだ。

こんどは自分のからだだけではなく、それにいろんな道具や機械が加わった。それだけ仕事の範囲は拡がった。仕事の種類も、構造の複雑さというような限りのある顕勢力によらないで脳髄の働きという限りのない潜勢力による事となったので、幾千倍にも増えた。そしてまた仕事の長さは、言葉や文字のお蔭で、永遠にまで延びた。

こんな風にその実質の制限を超越する事の出来る個性の事を普通には人格と呼んでいる。そしてこの本当の人格は人間だけしか持っていない。尤も人間では、この人格というのは普通には個性よりも自己意識の事を指す。しかし自己反省や自己意識は今いった個性の新しい飛躍と結びついている。意識の記憶は必然にその個性の独立を増す。されば、人格の所有者とは自意識のある個体だといっても、また自分のからだの実質よりも時間にも空間にも大きな個性を持っている個体だといっても、要するに同じ事なのだ。

人格は他の動物の個性に較べれば非常に自由だ。しかしまだからだという重荷を背負っている。実質を超越しているばかりでなく、更にこの実質と全く縁を断った人格があってもいい訳だ。古来神学者や神秘論者は、或《あるい》はその仮定し或はその感得した、この「からだのない霊」の事を語っている。

もしそんなものが実際にあるとすれば、それは確かに生の進歩の本当に最後の王冠を戴くものだ。生物はまず個性のないただの実質から出発した。次ぎにその実質と同じ内容だけの個性を得た。そして更にやはり実質とは結びつけられているが、しかしあらゆる方面にその実質を超越した個性を得た。最後にもう一歩進むと実質のない、自由な、無碍無障の個性になる。

しかしそれでは話が余りに天上に登り過ぎる。そこまで行っては、動物学者は目がくらんでしまう。どうしていいのかすらも分らない。で、もう一度地上に帰って、アメーバからの実際の事実に立ち戻らなくちゃならぬ。そしてそこに、地上に、個性の完成を求めなくちゃならぬ。

そして、そうするには、前にちょっといった種を一つの新しい個性として見るという暗示を何んとかして生かして来なくちゃならぬ。もしそれが何等かの形式で生きて来る事が出来れば、そこに吾々に、個人対社会の問題という、極めて重要なそしてまた極めて困難な人生問題に触れる事になる。

『新公論』第三四巻第四号、一九一九年四月一日

動物界の相互扶助

生存競争についての一新説

＊後に改題「相互扶助論」「クロポトキンの生物学」

一

この頃丸善に、ピョートル・クロポトキンの名著、『相互扶助』（Mutual Aid, by Peter Kropotkin）の新版が来ている。これは一九〇二年に初版を出して、その後ほとんど毎年のように版を重ねていたのが、昨年以来の大戦争に関する思想界の必要に迫られて、本年の始めに従来の版よりも更に四倍安の五十銭本となって現れたのだ。

今日の戦争とともに、ことに独逸《ドイツ》の態度を論評するために、例のトライチュケやベルンハルディの思想が、全世界に喧しく是非されている。というよりもむしろ、事実においてほとんど全世界を風靡《ふうび》している。トライチュケやベルンハルディの根本思想は、優勝劣敗で弱肉強食である。暴力と策略とによって勝敗を決する生存競争である。戦争に付随する一切の出来事が、この思想によって是認されるとともに、戦争そのものもまた、等しくこれによって是認される。そしてはなはだしきは更に積極的に、進化は競争にある、闘争にある、戦争は文明を生み出す勢力である、どうしても欠く事の出来ない、最も重要な生物学的必要である、とまで主張される。『相互扶助』の新版は、この時代思潮に対抗して、新しき意味の生存競争、すなわち相互扶助の思想を普及するために現れたのだ。

戦争ばかりではない。大小のあらゆる社会現象は常にこの生存競争の名によって、立ちどころに解釈されまた是認される。

ダーウィンが『種の起原』を公《おおやけ》にして以来、進化論は一切の科学及び哲学の根底となった。そしてこの進化論の論拠である生存競争もしくは適者生存は、宇宙間のあらゆる問題を解く合鍵のようになった。しかもこの鍵は、科学者や哲学者の手によってのみ、扱われるのではない。ほとんど何人《なんぴと》によっても、遠慮会釈なく、どこにでも使用される。ことにいかなる社会現象を観察し論断するに当っても、自然科学の術語中この生存競争という言葉ほど、広く応用されるものはない。

生物学の事実もしくは法則を、そのまま社会科学に応用する事の可否は、今茲《ここ》に説かない。けれども従来一般に説かれているような生存競争が、果して生物界もしくは人類界の全事実であり、またそれが進化の全要素であるだろうか。そしてクロポトキンの『相互扶助』はこれにいかなる解答を与えているだろうか。僕はこの名著を日本の読書界に推奨するとともに、次にその大要を紹介したい。

二

僕はクロポトキンの相互扶助説を「生存競争についての一新説」であるといった。しかし厳密にいえば、これは新説ではなく、むしろダーウィニズムの正解もしくは補充である。

もともとダーウィンの用いた生存競争という言葉の中には、広狭の二意義がある。すなわちその『種の起原』の中に、これは広い比喩的の意味であって、個々の生物が互に食物を争奪するような事ばかりでなく、多くの生物が相依《よ》り相扶《たす》けて、外界の境遇と戦うが如き場合を含むものである。また生物個々の生存の競争ばかりでなく、なお子孫を残す上の競争をも含むものである、と明らかに説いている。なおダーウィンはこの狭義の生存競争を過重してはならぬ事を戒めて、その『人類の由来』の中には、生存競争という言葉の本来の広い意味を、更に詳《つまび》らかに説いている。いかに多くの動物の仲間では、食物に対する争奪が跡を絶っているか。いかに仲間同志の闘争によって協同が行われているか。またその結果としていかに知力と道徳との発達を来さしめているか。そしていかにこれが、やがて種族生存の第一条件となっているか。

ダーウィンはこれ等の幾多の事実を例証している。なお彼《か》れは吾々《われわれ》に教えていう。適者とは決して体力の最も強健なもの、もしくは性情の最も狡猾なものではなく、ただ社会全体の幸福のために、強者も弱者も一致協力して、相依り相扶ける道を知っている種族であると。

けれどもまたダーウィン自身は、前にいった二者の中に、ことに狭義の生存競争、ただ食物を求めるための個々の闘争という一面の説明材料をのみ主として蒐《あつ》めているので、他の更に重要な一面が全くその蔭に掩《おお》われてしまった。そして広義の生存競争を全く忘れてしまったかの如き観がある。ダーウィン以後の進化論者になると、この弊害がますますはなはだしくなって、動物世界は血に渇いた餓鬼共の寄集まった修羅場である、個々の利害のために断えず残忍な闘争をするのが生物界の動かすべからざる原則である、とまで論ぜられるようになった。そして生存競争を、この狭義に押し込めて、更にそれを人類社会にまで応用したのは、ダーウィニズムの最も有力な説明者の一人として認められている、彼《か》のハクスレーそのひとであった。彼れは「生存競争とその人類に及ぼす影響」の中に原始人類について次の如くいっている。

「最も弱きもの、最も愚かなるものは死滅し、最も兇暴なるもの、最も慓悍《ひょうかん》なるもの、すなわち周囲の境遇と対抗するに最も適したものが生き残る。人生は絶え間のない自由闘争の巷であった。そして家族という制限された一時的の関係以外においては、ホッブスの説ける個人対万人の戦争が、実に生存の常態であったのである。」

かくしてまたハクスレーは、今日の社会制度の根本たる財産の私有、およびその結果たる貧富の懸隔《けんかく》を承認した。日本でも、加藤弘之博士、丘浅次郎博士などは、このハクスレー流の好代表者である。そして、ついに人類社会の日常生活にまでも、いちいちこの生存競争という言葉が当てはめられて、友人を売って勢力を得るのも、節を屈して富を成すのも、他人を殺すのも、自ら縊《くび》るのも、ありとあらゆる人間生活はことごとくこの生存競争の一語に約《つづ》められるようになった。自分さえ善ければ他人はどうでもいいむしろ他人を殺しつつ自分を生かす、という賤劣な利己主義がいわゆる科学的祝聖を受けるような観を呈して来た。

三

クロポトキンはまた、ダーウィニズムの正解もしくは補充たる、この相互扶助説の創見者ではない。

ヘッケルは詩人ゲーテを進化論の創見者であるといっている。実際ゲーテは多分に博物学的天才を持っていた。この相互扶助の思想の如きも既に彼れの心の中に宿っていたのである。今から九十年近い昔しであった。或《あ》る日、ゲーテの友人のエッケルマンが彼れを訪ねて来て妙な出来事を話した。それは、このエッケルマンの飼っていた二羽のみそさざいの雛が籠から逃げ出して、その翌日駒鳥の翼の下にその子供と一緒に抱かれていた、という事であった。ゲーテはこの話に非常に感激して、「もしこの様な事実が自然界を通じて一般の法則となっているという事が分れば、今まで解く事の出来なかった宇宙の多くの謎も、釈然として解けてしまうだろう。」と叫んだ。そして動物学者であるこのエッケルマンに、熱心にその研究を勧めて、必ずそこに自然の宝庫を開く鍵が見出されるのだと促したのであったが、不幸にしてこの研究は着手されなかった。しかしこのエッケルマンの著書の中に動物の相互扶助についての豊富な材料が見出されるのを見れば、彼れもゲーテの言に少なからず動かされていたに違いない。

けれどもゲーテが直覚によって得た漠然としたこの思想も、その後五十余年を経て、露西亜《ロシア》の一動物学者ケスレルの科学的研究によって、漸く闡明《せんめい》されかけて来た。すなわちケスレルは、一八八〇年の始め、露西亜博物学者大会の席上で、「相互扶助の法則について」という題で、その研究の結果を発表した。この露西亜大学総長ケスレルは、ダーウィンの進化論を継承した学者の中で、生物の相互扶助を以て自然の法則である、かつ進化の主たる要素である事を認めた、恐らくは最初の人であったのである。

ケスレルは、動物学から出たかの生存競争という言葉が、多数の学者によって濫用され、また少なくとも過重視されていたのに対して、「老動物学者」として黙っていられなくなったのだ。彼れはその講演の中に説いていう。

「動物学者や、また人類に関する諸科学の学者等は、残忍な生存競争の法則のみを絶えず主張して、別に相互扶助という法則のある事を忘れ、またこの法則が少なくとも動物にとっては生存競争の法則よりも遥かに重要なものである事を看過している。」

彼れはなお、動物がその子孫を蕃殖《はんしょく》させる必要上、互に集合する事を説いて、「個体が結合すればする程、動物は互に助力し合うようになり、種の存続と知力の増加との機会をいよいよ多からしめるものである」と主張している。そしてまた彼れは、「動物の各綱、ことに高等の綱《クラス》に属するものは、必ずこの相互扶助を実行している」と説き、甲虫や蝶類やその他種々の哺乳類の社会生活から得た実例を挙げて、自説を証明している。最後に彼れは、人類の進化の上にもこの相互扶助がいわゆる生存競争よりも重要な役目をしている事を説いて、次の如く結論している。

「私は決して生存競争を否定するものではない。が、動物界の進化発展、ことに人類の進化発展は、相互闘争よりも相互扶助によって、より多く促される事を主張したいのだ。元来あらゆる生物は二つの根本的要求を持っている。すなわち自己の営養と種の繁殖とがこれである。前者は動物を相互闘争と相互殺戮《さつりく》とに導き、後者は相互の親近と助力とに赴かしめる。しかし私はむしろ次の如く主張したい。すなわち有機界の進歩においては、個体間の相互扶助がその相互闘争よりも遥かに主要なものである。」

ケスレルのこの講演は、大会に出席した露西亜の博物学者の心を大《おおい》に動かした。そして我がクロポトキンもまた、その中の一人であったのだ。彼れは、ダーウィンの人類の由来の中の或る部分を少しく敷衍《ふえん》したに過ぎないこの講演に刺戟《しげき》されて、それ以来、この思想を発展さすための材料の蒐集に志したのであった。

四

しかしクロポトキンは、ケスレルのこの講演によって、始めてこの問題に注意を向けたのではない。いかなる思想をも事実に基づかせ、また事実に照らし合わして見なければ止まない、従って寸時も事実の観察を怠る事のない、真の科学的精神に浸っていた彼れは、既に余程以前からダーウィニズムのいわゆる生存競争に疑惑を抱き、かつ相互扶助の大思想をその博大な心の中に萌《きざ》していたのであった。彼れはその『相互扶助』の序論の冒頭に自ら語っていう。

「私が青年時代に東西西伯利《シベリア》及び北満州を旅行した際、最も私に深い印象を与えた動物生活の二方面があった。一方に私は、幾多の動物の種が、これ等の地方の峻酷《しゅんこく》なる自然に対して、激烈なる生存競争を営みつつあるのを見た。すなわち自然力のために動物の生命の上に定期的に大破壊が行われ、従って私の観察し得た広大な地域に動物の数のはなはだ稀薄であるのを見た。そしてなお他方に私は、動物の数の極めて稠密なる二、三の地方においても、生存の方法を求めるための激烈なる闘争を熱心に見つけ出そうとしたのであるが、同種の動物間にはついにこれを見出す事が出来なかった。しかるにこの食物を求めるための同種間の闘争という事は、大多数のダーウィニストによって生存競争の主たる特質であると認められ、また生物進化の主たる要素であると考えられているのである。」

冬の終り頃になると、ユーラシアの北部地方では恐ろしい吹雪が吹き捲《まく》って、それに続いて氷のような霜が全地を掩うてしまう。そしてこの吹雪と霜とは毎年のように百花開き百虫遊ぶ五月の中頃になると、再び逆襲して来る。また七、八月の頃になると、初霜初雪が降って、幾百万の昆虫や、鳥の二番目の卵が一時に屠《ほふ》られてしまう。もっと温暖な地方でも八、九月の頃になると、印度洋《インド》の気候風が運んで来る水蒸気が滝のような豪雨となって、欧羅巴《ヨーロッパ》諸国を合わしたほどの大平原が一面の洪水に漂わされる。更に十一月になると、独逸と仏蘭西《フランス》とを合わしたほどの地域が大雪の下に埋もれて、全く反芻《はんすう》類の動物が棲《す》む事の出来ないようになり、無数の動物が餓死する。

クロポトキンはその旅行の間に、かくの如き気候風土の中に生存する動物の生活を、北部亜細亜《アジア》に観察し研究した。ダーウィンはこの峻酷なる自然に対する闘争、すなわち生物が自然力のためにその繁殖を制限されている事実を「繁殖過多に対する自然的障害」といっているのであるが、クロポトキンはこの障害が動物界に重要な働きを及ぼしている事を認めないわけに行かなかった。しかしそれと同時にまた、いわゆる進化論者の説く「生存の方法を求めるための同種間の闘争」という事実が、よし或る特殊の事情の下には行われているとしても、到底さきの自然的障害と比較されるほどのものでない事をも知った。動物の数が多過ぎるよりは、むしろ少な過ぎるというのが、地球の大部分を占める広漠たる北亜細亜の到る処に見出される著しい事実である。かく動物の数の少な過ぎる所に、多くの学者がいうような、同じ種の間の食物と生存との恐しい闘争が行われるはずがない。従ってまた、この闘争が新種を作り出す進化の上に重要な役目をするというはずがない。

クロポトキンは一面にかくの如き疑惑を抱くと同時に、また他の一面において、この疑惑をますます確めるとともに更に別個の法則を思わしめる新事実を発見したのであった。すなわち到る処の湖水地方には、数十種数百万の動物が、その子孫を育てるために、湖畔に群棲《ぐんせい》している。また齧歯《げっし》類動物が一団体を成して殖民している所がある。また無数の鳥類が一群を成して大移住をする。北方の野や山が大雪に埋もれる頃になると、幾千幾万という鹿が遠近のあちこちから集まって、黒龍江の浅瀬を求めて南方へ渉《わた》って行く。クロポトキンはこれ等の光景を眼前に見るごとに、食物に対する争奪よりもむしろ相互の扶助という大事業が動物界に行われている事を知り、かつこの事実が動物の生命を維持し、その種を保存し、またその将来の進化を助ける最大効力となっている事を感じさせられた。

なおクロポトキンは、トランスバイカリア地方の半野生的の牛馬や、あるいは各所の野生反芻動物などを見て、ついに次の如き結論を下し得るほどになった。「動物が前述の如き自然的障害に遭うて食物の欠乏と戦った揚句には、かくの如き災害に悩まされた動物の全種は、その健康と気力との上に大打撃を被って、容易に起つ事の出来ない悲境に陥る。さればその種の向上的進化が、かかる激烈なる闘争の時期の間に萌したものとは、到底信じ得られない。」

従ってクロポトキンはまた、その後ダーウィニズムと社会学との関係を研究する時にも、この問題についての諸学者の説に服する事が出来なかった。人類は進歩せる知力と学問とを以て人生間の生存競争の激しさを減ずる事が出来る、という点は諸学者の等しく力説する所であった。されども同時にまた彼等は生活の方法を得んがために一動物が同種の他の動物と闘争するという事、及び一人間が他の人間と闘争するという事を、永久の「自然の法則」として承認する。しかしクロポトキンにとっては、同胞間に生活のための残忍な闘争のある事を信じ、またこの闘争が進化の一条件であると認めるのは、まだ証明を経ない事実を信じまた直接に観察しない事物を認める事となるのであった。

そしてこの時にクロポトキンは、かのケスレルの講演によって少なからぬ感動を与えられ、一道の光明がその眼前に輝くのを見たのであった。爾来《じらい》彼れは熱心に事実の蒐集に努めた。彼れは、自然界の一法則としての、また進化の一要素としての、相互扶助に関する著書の出版が、必ず学術界の一大欠陥を補い得るものと堅く信じたのであった。

一八八八年、ハクスレーがさきにいった「生存競争とその人類に及ぼす影響」を公にするや、クロポトキンはその自然界の事実をはなはだしく誤り伝えているのに憤激して、当時第一流のこの進化論者に向って一大弁駁《べんばく》書を呈する事に決心した。そして一八九〇年から一八九六年に亘《わた》って、毎年一、二回ずつ雑誌『十九世紀』に発表したのが、この『相互扶助』である。

五

『相互扶助』は「動物界の相互扶助」、「蒙昧《もうまい》人の相互扶助」、「野蛮人の相互扶助」、「中世都市の相互扶助」、及び「近代社会の相互扶助」、五篇より成る。

相互扶助を以て単に生物界の事実もしくは法則として論ずるのならば、「動物界の相互扶助」一篇で事は足りるのであった。けれどもさきにもいった如く、進化論者はいわゆる生存競争の観念を以て、直ちに哲学、史学、社会学等の動かすべからざる基礎の如く認めてしまった。従ってクロポトキンは、動物の諸階級を通じて相互扶助が重要な役目を演じている事を論じた後に、更に人類の進化におけるこの要素の価値をも論じなければならなかった。そしてまた、当時ハーバート・スペンサーの如き、動物間の相互扶助の重要である事を認めても、なお人類間にそれを認める事を拒んだ進化論者が多かったので、この問題を論ずる事がますます必要であった訳である。原始人の間では各個人とすべての人との戦争という事が、人生の全法則であった、と彼等は説いていた。そこでクロポトキンは、ホッブス以来十分な批評を経ないで余りに安々《やすやす》と繰返されて来たこの断定が、果していかなる程度まで人類進化の実状と一致し得るかを論証するために更に蒙昧時代と野蛮時代とに各々一篇を献《ささ》げたのであった。

そして相互扶助の諸制度が蒙昧人及び野蛮人の創造的天才によって、いかに広くかついかに力強く人類最初の民族時代及び自治村落時代に発達したかを説き、これ等の制度がいかに多く次の時代の進歩発展を助けるかに思い及んだ時、クロポトキンは更に、有史以後の社会にその探究の歩を進める必要を感じた。ことに彼れは、欧州史に暗黒時代の名を以て呼ばれている中世のいわゆる自由都市に、最も興味深い観察を向けた。彼れに取ってはこの暗黒時代がかえって光明時代であったのだ。実にこの「自由都市の相互扶助」一篇は、彼れが最も努力してその概況と近代文明に及ぼした影響とを記述した所であり、かつ最も創見と暗示とに富んだ一大文章である。

最後にクロポトキンは、長い進化の歴史の間に人類が承継《うけつ》いで来た相互扶助の本能が、この本能の発達に最も都合の悪い制度の下にある今日においてすらも、なお社会の根幹をなしつつ活躍する事実を説いている。

この蒙昧時代から近世社会に至る四篇は、従来の史書のただ主権者の逸話と戦争の状況とを記したに過ぎない歴史以外に、なお別個の、しかも更に重要な歴史の存在を示した一種の人類史である、社会史である。かくして本書は生物学や史学や社会学に新しき材料と観念とを与えた外に、更に進んで倫理学や哲学に新しき方向を暗示する。

従来では、愛や同情や犠牲が、道徳もしくは社会心の根本基礎とされていた。けれども動物の社会心を以て偏《ひと》えに愛情と同情とに帰するのは、かえってその通性と価値とを減殺するものである。また人間の道徳の基礎を偏えに愛と同情との上に置いたのでは、全体としての人間の情緒を解釈する事が出来ない。愛や同情や犠牲は、確かに道徳的感情の向上的進化における、重要な要素であるに相違ない。けれども社会が動物や人類の間に成立する基礎は、決して愛でもなくまた同情でもない。これは更にその間の感情の真底に極めて長い進化の行程において、動物と人間との裡に静かに発達して出来た或る本能である。そしてこの本能が、動物及び人間に、相互扶助の精神の一大勢力である事を教え、社会生活を営む事によって歓楽を享有し得る事を教えたのである。更に詳しくいえば社会心もしくは道徳の基礎は、相互扶助が各人に与える力の無意識的承認である。各人の幸福と万人の幸福との密接な関係の無意識的承認である。また自己の権利と等しく他人の権利をも尊重しなければならぬという、正義の感の無意識的承認である。この広いかつ必然の基礎の上に、幾多の高尚な道徳的感情が発達する。

クロポトキンの『相互扶助』は、ダーウィンの『種の起原』と同じく、ほとんど全篇事実の羅列である。けれどもこの書に現われた動物や人間は、著者の議論に都合のいいようにのみ観察されたものである、動物の社会的性質のみが力説されて、その非社会的、利己的本能は全く閑却《かんきやく》されている、と批難する人があるかも知れぬ。クロポトキンはこの批難に対して答えていう。

「近時吾々は「苛酷な容赦のない生存競争」という事を切《しき》りに耳にする。すなわち各動物はすべての他の動物と各野蛮人はすべての他の野蛮人と、また各文明人はすべての他の文明人と、この生存競争を行っているという断定が、一信仰箇条となってしまった。で、何よりもまず、この説に反抗して、人類も他の動物もそれとは全く異った一面の生活を営んでいるという事を示す幾多の実例を挙げなければならなかった。社会的性情が自然界に及び人類や動物の進化発展に与《あずか》った重要性を示す事が必要であった。そしてまた、この社会的性情が、動物に食物獲得の便宜と防禦力《ぼうぎょ》とを与え、かつ動物の寿命を長からしめて、これによってその知力の増進を促した事、及びこの性情が人間社会の諸種の制度を与えて、それによって自然力との激しき闘争に打勝たしめ、歴史の幾変遷の間についに今日の如き進化発展を遂げしめた事を、論証しなければならなかったのである。すなわち本書は相互扶助の法則を進化の主要なる一要素として論じたもので、もちろん進化の全法則としてまたその比較的価値を説こうとしたものではない。」

六

ダーウィンの『種の起原』に一貫する思想は、動物の各群の間に食物と安全とを求めまた子孫を残すための、本当の競争、本当の闘争が行われているという事である。彼れは最大限度まで動物を以て満たされている地域のある事を屢々《しばしば》説き、かくの如き過度の繁殖から自然に競争の起る事を推論した。けれどもかかる競争の真の証拠を求めるために、詳《つまびら》かに彼れの著書を繙《ひもと》いて見る時に、吾々はその書中に十分納得するに足るべき事実のない事を見出すのである。試みに「生存競争は同種の動物及びその変種間に最も激烈である」と題する項目を読んで見るに、ダーウィンの平生に似ずこの項においては全く引例の豊富を見る事が出来ない。同種の動物間の争闘については、この見出しの下にただ一つの実例すらも引かれていない。ただ当然の事実として論ぜられているのみである。また近縁種の間の競争については、僅《わず》かに五個の実例を挙げているに過ぎないが、しかもその中の一は今日では少なくとも疑わしい事実となっている。また同種の動物間の本当の競争の例として他の場所で南亜米利加《アメリカ》の牛の話を引用しているが、これは飼養動物の間から例を取ってあるので、大した価値のあるものではない。

かくダーウィン自身の著書について見てもはなはだ実例の少ないいわゆる生存競争は、空論に魅せられて実地の観察を怠る、もしくは実験室や動物園の中にその観察の範囲を限っている諸学者等によって、ただ自明の理として承認されてしまったのだ。けれども一度吾々が、これ等の諸学者の書物を閉じ、また狭苦しい実験室や動物園の中を去って、森に入り野に出で山に登って動物の生活を研究するならば、直ちに吾々は次の如き事実を看取せざるを得ない。すなわち数限りもない争闘と殺戮とが動物の異なれる綱の間に、ことに異なれる綱の間に行われているのであるが、しかもそれと同時に、同じ程度にもしくはそれ以上に、相互扶助、相互支持、相互防禦というような現象が同種の動物間にあるいは少なくとも同一団体の動物間に行われている。社会的精神は相互争闘とともに自然界の一法則である。もちろんこの法則の比較的価値を、よし大ざっぱにせよ、数学的に評価するのははなはだ困難な仕事であろう。けれどももし吾々が直接の実験に徴して、「絶えず互に争闘を事とするものと互に扶助し合うものと何《いず》れが適者であるか」という問いを自然界に発するならば、吾々は直ちに、相互扶助の習慣を有する動物が正しく適者であるという解答を得るのである。それ等の動物は確かに生残のより多き機会を有し、かつ最も善く知力と体力との発達を遂げている。

今その無数の事実の中から、蟻の社会生活の一端を描いて、この『相互扶助』の紹介を終る事にしたい。

七

蟻の巣を取ってその生活状態を見るに、多くの著書に記されている事実、すなわち食物の運搬や住居の建築や、子孫の育成や、蚜虫《あぶらむし》の飼養や、その他万端の仕事が、いずれも他人の指揮や命令を待つ事のない任意的相互扶助の原則の下に行われている。それればかりではない。蟻の多くの種では、おのおのの蟻が互に食物を分け合わなければならぬという事が、その社会の最も重要な義務となっている。それも倉に貯えてある食物や道で拾った餌を分け合うばかりではない。誰れでもその仲間のものから食物を乞われた場合には、自分が飲み込んで既に半ば消化されている食物をすら、何時でも吐き出して分けて遣《や》らなければならぬ事になっている。

相異れる種の蟻、もしくは平素仇《かたき》同士の巣に属する二疋《ひき》の蟻が、偶々《たまたま》途中で出遭った時には、互に道を避けて近づかないようにする。これに反して、同じ巣または同じ植民団体の蟻が道で出遭えば、互に相近づいて、暫《しば》らくその触鬚《しょくしゅ》を揺動かして挨拶をする。そしてそのいずれかが餓えていて他の一疋が満腹していれば、餓えている方の蟻は直ちに食物を要求する。その時に食物を要求された方の蟻は決してこの要求を拒むような事をしない。直ぐに口を開けて身構をする、やがて透き通った一滴の液体を吐き出す。そしてそれをその仲間の蟻に舐《な》めさせる。

これはフォレルが始めて発見した事実であるが、この消化した食物を吐き出して仲間に与えるという事は、蟻の社会の最も重要な一現象で、しかも稀《ま》れに起る珍奇な事実ではなく、餓え渇いた仲間を救済しまた幼虫を養育するのに常に行われているのである。そして十分満腹していながら仲間の救済を拒むような、利己的な奴がある時には、仲間はその蟻を敵としてもしくは敵以上の敵として取扱う。ことにそれが他の種との戦争の最中ででもあれば、敵に向っていた仲間等は直ちに踵《きびす》を回《か》えして、敵に対するよりも更に猛烈にこの貪欲ものを攻撃する。また敵種の蟻に食物を分けて遣るほどの侠気《おとこぎ》のある蟻は、その敵から親友として待遇される。これ等の事実は、フォレルやユーベルなどの最も精確な観察と周到な実験との結果最早や少しも疑う余地はない。

蟻は一千種以上もあって、ブラジルなどでは、この国は人間のものではなく蟻のものだといわれているほど、その繁殖の盛んな動物である。けれども同じ巣または同じ植民団体の間には、いわゆる生存競争を少しも見出す事が出来ない。尤《もっと》も異なれる種の間には激烈な戦争が行われ、またかかる戦争には随分残虐な行為も見出される。しかし一社会の間には、相互扶助、犠牲、献身等の道徳が、その社会の動かすべからざる条規となっている。白蟻や黒蟻はいわゆる生存競争を努めて排斥しているのであるが、彼等が自然界の優者となったのも実はそのためなのである。

蟻の知力の優れている事は、その巣を一見しただけでも分る。彼等の巣の精巧な事は実に驚くべきものである。その建築物は、身体に相応して見れば、吾々人間の石造や煉瓦《れんが》造りの大廈《たいか》高楼《こうろう》よりも遥かに宏大《こうだい》である。敷石をしたその道路、円天井を張った地下室、大広間、穀物倉、いずれも皆な吾々の驚嘆に値しないものはない。また蟻は農業までも営んでいる。現に穀類の畑を持っていて、時々の収穫やら、麦芽《もやし》の製造などに従事している。卵や幼虫を育てるにも、一定の合理的方法により、また蚜虫を育てるにも特別の室《へや》を設けている。この蚜虫は、リン子《ネ》が「蟻の社会の牡牛」と名づけた、立派な家畜である。なお蟻の勇気と胆力とは、これらの優秀な知力と等しく、何人にも称讃の辞を惜《おし》ましめない。そしてこれらの力は、すべて彼等がその刻苦勤勉の生活において実行する相互扶助の自然の結果である。

この相互扶助の生活を営んでいる結果として、蟻の社会には今一つ著しい特徴がある。すなわち各個体の間に、自由発意心が驚くべく発達している事である。相互扶助は勇気振興の第一条件たる相互信頼となる。そしてまたこの自由発意心は、知力発達の第一条件である。この二つの精神が、動物界にも人類社会にも、相互争闘よりも遥かに重要な進化の要素なのである。古い学者等は、蟻の社会に帝王のある事や女王のある事や、また全体の仕事を指揮命令するものがあるというような事を説いていた。けれどもユーベルやフォレルなどの久しい歳月に亘る細密な観察が公にされてからは、この説が転覆されて、蟻は他の権力命令によって動いているものでない、社会全体の幸福のために、銘々が思い立って、銘々がその事に当るという自由な任意の行動をしている事が明白になった。ことに人間の社会では権力命令の是非とも必要だといわれている戦争ですらも、蟻の間ではやはりこの自由発意の原則によって行われている。何等他者の意志権力の交渉を受けないで、ただ万事を各個人の自由合意と自由発意とによって処理するというこの生活こそ、やがて、万物の霊長と自ら誇っている人間をも驚かすほどの、智慧と能力とを、この小さな動物に与えたのである。

八

蟻はまた、この相互扶助の結果として、その身体にほとんど何等の防禦器官をも備えていない。その濃い褐色はいかにも敵の目につき易い。その聳《そび》え立った丘のような巣は、森や野の間に散在して、いかにも敵の目に立ち易い。それだのにその身には甲虫のような堅固な甲殻の防備もなければ、またその唯一の武器と頼む刺針《はり》すらも、大して恐るべきものではない。かつ蟻の卵と幼虫とは森に棲まっている大抵の動物が、珍味として舌鼓を鳴らす所のものである。それにも係《かか》わらず幾千のその種は動物界の大部分を占めるほどに繁栄して、蟻《あり》征伐を専門とする食獣《くいじゅう》の餌食になるものすら極めて少なくない。

なおこの小さな虫は、同じ森や野の中に棲まっている、大きな強い動物共から、恐るべき敵として憚《はばか》られている。或時フォレルは一袋の蟻を野原に放して見た。すると蟋蟀《こおろぎ》は、自分の住居の穴を蟻の掠奪するに任せて、まず第一に逃げ出した。かまきりもきりぎりすも四方八方に逃げ失せた。蜘蛛や甲虫は獲物を棄てて僅かに身を以て遁《のが》れた。ついには蜜蜂の巣までも蟻の占領に帰してしまった。かくの如き蟻の力はどこから出て来たのであろうか。それはいうまでもなく、その相互扶助からである、相互信頼からである。最も進歩した白蟻の種は暫く除いて其他の蟻でもなお知力の上では、昆虫界の第一に位している。そして蟻の勇気に匹敵する事の出来るのは、最も勇敢な脊椎動物のみである。かつダーウィンに拠《よ》れば、「蟻の脳髄は、人類の脳髄にも優る、最も精巧なる細胞より成る。」

尤も白蟻や黒蟻は、まだその一切の種を包容する大団結を組織するというような、進歩した思想には達していない。彼等の社会的本能は、一個の巣という範囲以外に、ほとんど及ぶ事がない。それでも二つの異なれる種に属する二百巣あまりの植民団が、タンドル山とサレエブ山とに見出された事を、フォレルは述べている。なおフォレルに拠れば、この二種の植民団の各員は、互に相親《したし》んで、防禦同盟を結んでいたという。またマクツクはペンシルヴァニアで、千六百巣乃至《ないし》千七百巣の蟻が一団結を形づくって、互に相親しんでいるという驚くべき事実を発見した。なおベーツは二、三種の白蟻が共同の住居を造って、その蟻塚の間を円天井の廊下で連結さしている事実を見たという。

僕はこの暗示に富んだ蟻の社会生活を以て、クロポトキンの著書に記された動物界の相互扶助を代表するとともに、最後に、更に読者諸君とともに吾々自身の生活している人類社会の生活を反省したい。僕はさきに「この本能の発達に最も都合の悪い状態の下にある今日」といった。けれどもこの今日の社会においても、吾々が吾々自身の生活に顧みて、相互争闘によって得る所よりも相互扶助によって得る所の遥かに多い事が直ぐに分る。そしてなお吾々は、いわゆる「生存競争の最も激烈な今日の社会」のために、どれほど悩まされ苦しめられているか知れぬ。

そして僕はこの事実の十分な反省に資するために、再び繰り返して、この『相互扶助』の名著を切《しきり》に我が読書界に推奨したい。

『新小説』九月号、一九一五年九月一日

『昆虫記（一）』（アンリ・ファーブル著）訳者の序

これはファーブルの名著『昆虫記、昆虫の本能と習性の研究』十巻（Souvenirs Entomologiques. Etudes sur l'Instinct et les Moeurs des Insectes. Dix series）の中の第一巻を翻訳したものだ。

僕は主としてその原文に拠《よ》りながら、所々英訳を参照して見た。英訳はロンドン動物学会会員アレキサンダー・テキセーラ・ド・マトス（Alexander Teixeira de Mattos）の筆に成る。いい翻訳だ。一九一二年にメーテルリンクの序文付で『蜘蛛の生活』を出して以来、一九二二年すなわち本年までに『何《な》んとかの生活』、『何んとかの生活』と題して十二冊の訳本を出している。原書は著者の研究が出来あがった順序のまま書いて行ったのだが、英訳者はそれを同じ種類の虫に分類し直して訳したのだ。そして原書の十巻が英訳の十二巻になったのだ。最初の『蜘蛛の生活』はロンドンから出たが、どうした都合か、その後はそれも一緒になって皆なニューヨークから出ている。

ドイツ訳では、もうだいぶ古い頃に、『コスモス』という通俗科学雑誌に連載されていたのを見たが、それが本になっているかどうかは知らない。

最初僕は英訳に従う方が読者のために都合がいいと思った。何故なら、一冊の本の中に同じ種類のいろんな虫の事が纏《まと》めて書いてあるのだから。そして著者も、その研究の順序に従って書いたとはいえ、やはり出来るだけは同じ種類の虫をだんだんに追うて行っているのだから。

が、その後僕は、一九一九年すなわち一昨々年に、（著者の序文には一九一四年という日付はあるが）『絵入確定版』（Edition definitive illustrée）という新版の原書が出た事を知った。そしてそれを手にすると直ぐ、英訳の順序に拠ろうという考えを全く棄ててしまった。その新版には、著者の序文の中にもある通り、実に綺麗な写真版がうんと載っているのだ。そしてそのほかにもなお、小さなカットが沢山載っているのだ。

僕はこの挿絵をどうしても入れたいと思った。それ以前の原書の諸版（僕の持っているのは一九二〇年の第二十三版だが）にも、また英訳のどれにも、この小さなカット一つ載っていないのだ。そして新しい確定版は、年四冊発行のはずのが、戦争に邪魔されて、今まだ漸くその第四巻までしか出ていない。

で、僕はその「確定版」に拠った。この第一巻は、英訳の「糞虫」の一部と、「狩人蜂」のほとんど全部と、「左官蜂」の一部分とがはいっている。

二、三年前に、僕は「科学の詩人」と題して、ファーブルの短い評伝を書きかけた事があった。ほんの書きかけだから、どこにも発表はしなかったが、次ぎにそれを利用する。
——今僕はファーブルの『昆虫記』十巻の翻訳を思いたっている。

——実は四、五年前からファーブルを読みたいと思っていたんだが、暫《しばら》く獄中生活をしなかったので、そのひまがなかった。去年の夏、ちょっと市ヶ谷の未決監にはいった時、神田に三才社というフランス書専門の本屋があるが、そこにファーブルの『昆虫の生活』（La vie des Insectes）や、『本能の不可思議』（Merveilles de l'Instinct chez les Insectes）や、『昆虫の習性』（Moeurs des Insectes）なぞのあったのを思いだして、獄中から手紙を出して買わしにやったが、相憎《あいに》く売りきれていて一冊もなかった。

——その後保釈で出て、その年の暮れに、いよいよ既決監にはいろうとする前の日、或《あ》る友人から金を貰って丸善へ行った。そして、こんどは刑期も短いのだし、それに冬の寒い間でもあるのだから、なぐさみ半分に旅行記でも読んで来ようかと思って、そんな方面の本を探していた。クロポトキンの友人で、というよりもむしろ先輩の、やはり無政府主義者で地理学者であった、エリゼ・ルクリュの『新万国地理』第七巻「東部亜細亜」という大きな本が偶然に見つかった。その他にも、ダーウィンの『一博物学者の世界周遊記』だの、ウォレスの『島の生物、動植物の世界的分布』なぞがあった。三ヶ月間、三畳敷ばかりの独房におしこめられながら、こんな本で世界中を遊び回るのも面白かろうと思っているうちに、偶然また、ファーブルの『昆虫の生活』に出遭った。そして、そんな本を二十冊ばかり抱えて、中野の豊多摩監獄へ行った。

——ところが、はいると直ぐ、丸善の新着本の中にあったからといって、ファーブルの英訳書が五冊差入れになった。

——『昆虫の生活』は『昆虫記』十巻の中からの抜粋で、ファーブルが最も苦心して研究したいろんな糞虫の生活がその大部分を占めていた。

——糞虫というのは、一種の甲虫で、牛の糞や馬の糞や羊の糞などを食っているところから出た俗称だ。糞虫が、そういった糞を丸めて握り拳大の団子を造って、それを土の中の自分の巣に持ち運ぶ、その運びかたの奇怪さ！　また、一昼夜もかかってその団子を貪り食って、食う尻から尻へとそれを糞にして出して行く、その徹底的糞虫さ加減！　そしてまた、やはりその団子で、自分が死んだあとでの卵の餌食を造って置く、その造りかたの巧妙さ！　それにファーブルの観察や実験の仕方の実に手に入ったうまさ！　描写の詳密さ！　文章の簡素雄渾さ！　読み始めると、とても面白くて、世界漫遊どころではない。とうとう、ほかの本はあと回しにして、『蟋蟀《バッタ》の生活』（The Life of the Grasshoppers）や、『糞虫』（The Sacred-Beetles）や、『左官蜂』（The Mason-Wasps）や、『本能の不可思議』（The Wonders of Instinct; Chapters in the

Psychology of Insects）なぞを読み耽った。

——この最後の『本能の不可思議』のほかは、皆なロンドン動物学会会員アレキサンダー・テキセーラ・ド・マトスの翻訳で、マトスにはまだそのほかに、『蜘蛛の生活』（The Life of the Spider）や、『蠅の生活』（The Life of the Fly）や、『木苺蜂其他』（Bramble-Bees and others）や、『狩人蜂』（The Hunting-Wasps）や、『毛虫の生活』（The Life of the Caterpiller）などがある。『本能の不可思議』はマトスとバーナード・マイアルの合訳だ。このマイアルにはなお、『昆虫の社会生活』（Social Life in the Insect world）の訳がある。その『不可思議』と『社会生活』とは、いずれも『昆虫記』十巻の中からの抜粋で、仏文の『昆虫の生活』などと同様に、綺麗な絵入りになっている。

——このファーブルの事は、かつて賀川豊彦君が、「ファブレの生存競争の研究」と題して、雑誌『科学と文芸』で紹介し、後それをその論集『精神運動と社会運動』の中に収めた。また、同君の友人だという英義雄君が、『蜘蛛の生活』を翻訳して、洛陽堂から出版した。

——賀川君の紹介は、生存競争の否定という事を中心にしたために、十分ファーブルの全体に亘《わた》る事が出来なかった。また、Fabre をわざわざ Fabré と書いてファブレと読ましたり、Souvenirs Entomologiques をサベニーア・エンテモロギーなぞと変な英語読みにしたところが、何んでもない事のようではあるが、いやに気になった。が、とにかく賀川君はファーブルをこの日本の国に紹介した最初の人だ。英君も賀川君からその話を聞いて読み出したのだそうだ。僕も賀川君には『昆虫の社会生活』を借りた恩がある。

——英君の翻訳は、誤訳の有無はどうか知らないが、随分まずいものだ。書いてある事柄の面白さで、漸く引きずって行かれる程の、実に生硬極まる訳文だ。そのせいでもあろうか、惜しい事には、余り読まれていないようだ。

——英文では、『科学の詩人ファーブル』（Fabre, Poet of Science）と題した、フランスのルグロ博士原著マイアル訳の評伝がある。また、『昆虫学者ジャン・アンリイ・ファーブルの生涯』と題した、フランスのオーギュステン・ファーブル原著マイアル訳の評伝がある。

——ファーブルとはどんな人か、という事を一言でいうには、フランスのいろんな批評家の言葉をそのまま持って来るのが、一番世話がない。

——アンリ・ファーブルは、今文明世界が持っている至高至純の名誉の一つ、最も賢明な博物学者の一人、また近代的意味でのそして本当に正当な意味での最も霊妙な詩人の一人だ……

それは私の生涯の中の最も深い欽仰《きんぎょう》の一つである。——モーリス・メーテルリンク——

――『昆虫記』は、久しい以前から、私をこの魅力のある、深い天才と親ませてくれた。私はこの本に、どれ程の、楽しい時間を負うているか知れない……

この大科学者は、哲学者のように考え、美術家のように見、そして詩人のように感じかつ書く。――エドモン・ロスタン――

――彼れの天才的な観察の燃えるような忍耐は、芸術の傑作品と同じように、私を狂喜させる。私はもう幾年か前から、彼れの本を愛読している。――ロマン・ロラン――

――『昆虫記』は、最も下等な生物の中にすら不可思議な力のある事を、吾々《われわれ》に示すものである。そしてこの比類のない著者は、同時にまた、物を知りたいという渇望、物を学びたいという熱情、すなわち美が吾々に与えるのと同じ高尚な享楽と深い逸楽とを、吾々に感じさせる。それは自然のバイブルだ。――ジョルジ・ルグロ――

――また、ダーウィンはかつて、彼れをただ一言、しかし千金の重みを以て、「この比類のない観察家」(That incomparable observer)と激称した。

――が、僕は、「哲学者のように考え、美術家のように見、そして詩人のように感じかつ書く」といった、エドモン・ロスタンの言葉が一番気に入った。

僕が前に「科学の詩人」と題して書きかけたというのは、これっきりで尻きりとんぼになっている。

ファーブルの生涯は、彼れが長い間文字通り一緒に生活したその昆虫の記録の中に、すなわち『昆虫記』の中に、あちこちに織りこまれている。彼れは昆虫を語りながら同時に彼れ自身をも語らなければならない程、その生活が互に入り混っていたのだ。

その生涯については、僕はまた新しく『科学の詩人』と題して、近く単行本として発表したいと思っている。

ファーブルはまた、この『昆虫記』のほかにも、二十冊ばかりのごく平易で、そして面白い通俗科学の話を書いている。そして僕は今、いろんな人との共訳で、その翻訳にとりかかっている。

僕は今漸くこの一巻を翻訳し終った。第二巻は本年中に終りたい予定でいる。そして続いてなお第三巻第四巻と進んで行くつもりだ。旧版は十巻だったが、新版ではもう一巻ふえて、その第十一巻には、ルグロ博士の手になる総索引と、ファーブルの書簡集と、ファーブルの伝記とがはいるはずだそうだ。
一九二二年八月二十二日

『昆虫記（一）』一九二三年一一月一一日

アナキストどんなひと

講演のため渡仏したものの、強制退去となり、
大正12（1923）年に神戸港に到着した大杉

強がり

極度の臆病と強がりとは恐らくば僕の一生を貫く記録だ。

自分の極度の臆病を、自分にも他人にも、曝《さら》け出す事を極度に嫌った僕の虚栄心は、また僕を極度の強がりにした。

この強がりは、何事に対しても、常に躊躇《ちゅうちょ》なく当面し冒険する事を、僕に強いた。体力をも練らした。知力をも磨かした。

そしてこの冒険は、極度に臆病なる僕自身の中になお多少の強味のある事を、往々見出さしめた。

僕の少年時代の記憶や印象は、多くは、自分の弱味を暴露した瞬間の悲しみと、及び自分の強味を発見した瞬間の喜びとであった。そしてことにこの瞬間に無限の趣味と感激とを味わったのであった。

——一九一四、四——

初出不明、『生の闘争』一九一四年一〇月三〇日

死にそこないの記

子供の時にも一、二度あったそうだが、自分で覚えてからは、例の葉山の時とこんどと、二度死にそこないの目に遭った。そしてそのたんびに、方々から、死にそこないの感想を聞かれる。

葉山の時には少々ムッとしたもんだから、「どうせ生きているからだだ。いつペストでやられるか、チブスでやられるか、分ったもんじゃない、何《な》んで死んだって同じ事さ」と空《そら》うそぶいて見たり、また、「どうせ死にそこないのからだだ。これからは本当に命がけでうんと働こう」というような捨てばちをいっておいた。そしてこんどは、果してそのチブスでやられかかったんだが、「どうもえんまの庁で引取ってくれないんで」などとえらそうに笑っていた。

いよいよ死ぬんだな、という意識は、こんどは持たなかった。

病院にはいるまでは、熱も四十度を越していたんだが、気はたしかだった。からだはまだ少しは動けた。自動車に乗るのに、「なあに下までくらい、自分で歩いて行けるよ」なんて、、三階で威張《いば》っているほどだった。それが病院のベットの上に横たわったほとんどその瞬間から、二週間がほどは、まるで夢うつつの間に過ごした。ほとんど何《な》んにも覚えがない。そしてこの間に死にそこなってしまったんだ。

葉山の時にも、病院へ行くまでは、気はごくたしかだった。呼吸困難で咽喉がピイピイ鳴っているのに、巻煙草をくわえながら、自分のからだを自動車まで運んで行く仕方のさしずをしていた。しかしその時にはもう、自分はほぼ死ぬものときめていた。そして病院の手術台の上で、医者が「深さ幾インチ、気管に達す」というような事を口述しながら、「どうもあぶないですな」などと立会いの警察官に話しているのを聞いた時には、いよいよもう死ぬんだときめてしまった。

「昼時分までには死ぬんだろう。」僕はそう思いながら、隣りの室の寝床の上へ運ばれて行った。そしてそれっきり深い眠りに落ちてしまった。が、それから四、五時間たって、ふと目をあけた時には、もうとうに夜もあけて、僕は立派に死にそこなっていた。呼吸困難も前程には激しくなくなっていた。「これじゃ死なないんだな。」僕はむしろ不思議なような気をしてあたりを眺めた。

死ぬって存外《ぞんがい》つまらんものさ。そしてまたその死に悩むという事も存外あっけないものさ。が、生きるという事は実に面白いね。

僕は葉山の時に始めて、本当にこの面白味を味わった。そしてこんどまた、再びその味を貪《むさぼ》りなめた。

ことに葉山の時なぞは、ほとんど刻一刻といってもいいほどに、生の回復して来るのが目に見えて進んだ。時々三十分か一時間うつらうつらと眠って目がさめた時には、まるで別人のように自分が変っていた。

こんども、意識がすっかり目ざめた時には、もうこの生の力がからだじゅうに充ち充ちていた。毎日何にかの能力が一つずつ目ざめて来る。動けなかった手足が動いて来る。寝返りが出来るようになる。きのうはまだ一人で立つ事が出来なかったのに、きょうはもうそれが出来る。あすはひと足ふた足歩ける。そしてあさってはもう室の中をあちこちとよちよちながら歩く。

ふだんこのいろんな能力を十分に働かして行ったら、出来るだけ自分の思う通りの、わがままな生活をして行ったら。生の歓楽を貪って行ったら。いつ、どこで、どうして死んだって、大《たい》した不足もあるまいじゃないか。

『野依雑誌』第一巻第二号、一九二一年六月一日

久板の生活

四、五年前の事だ。僕が亀戸に引越して、そこで労働運動の新しい出発をしようと企てた時、久板と和田久とがそれを賛成して助けに来た。そして二人は一緒に間借りをしていたどこかの二階を引きあげて僕の家に同居することになった。

「布団のようなものがちっともないようですが。」

二人の荷物を見て伊藤がそっと僕にいった。実際その荷物といってはただ少し大きな風呂敷包み一つだけだった。

「無いはずはないんだが……」

僕はその二、三年前に、久板が始めて京都から出て来た時、僕等七、八人の仲間で布団を作ってやった事を思いだした。しかし、無ければないように、早くどこからか借りなければならないと思って、

「布団はあるのかい?」

と二人に聞いて見た。

「いや、あります、あります。」

二人は口早にこう答えながら笑っていた。しかしその解いた包みの中からはたった一枚の布団しか出て来なかった。

「それじゃ仕ようがないじゃないか。」

一月の始めの寒い時だ。一枚の煎餅布団を二人でどうする事が出来るものか。

「いや、この布団は和田君のです。和田君はこれで海苔巻きのようになって寝るんです。」

久板はその癖の「いや」というのを冒頭にして笑いながら説明しだした。

「じゃ、君の布団は何《な》んにもないじゃないか。」

「いや、あるんです。」

久板はこういいながら薄い座布団を三枚取出した。

「これが僕の敷布団なんです。そして上には、これやあれや……」

といいながら、その着ている洋服とたった一枚のどてらとを指さして、

「僕の着物の全部を掛けるんです。これが僕の新発見なんです。」

久板と和田はまじめな顔をして笑っていた。僕と伊藤とは少々あきれて暫《しばら》く黙っていた。

これはあとで聞いたのだが、前に皆《み》んなで作ってやった布団は、この新発明以来誰《だ》れかにやってしまったのだそうだ。

僕はうちに余っている布団を二枚、二人の室の押入に入れて、勝手に使うようにといっておいた。しかし二人は「面倒だから」といって、ついにそれを使った事がなかったようだ。

久板の生活はすべてがこの簡易生活であった。

『労働運動』第三次第三号、一九二二年三月一五日

求婚広告　近藤憲二の印象

今ではいが栗坊主になっているが、つい先達《せんだって》までは綺麗な長い髪の毛を房々《ふさふさ》と長くのばして、それが顔の上に垂れさがって来るのを終始気にしては五本の指で掻き上げていた。それを、どこかの演説会の騒ぎの時に、多勢のお巡り共に取り囲まれて手どり足どりはまだいいとして、髪毛までもつかまえられて殴られたり蹴られたりしたのをひどく口惜しがって、その帰り路《みち》に安バリカンを買って来て自分でガリガリとやってしまった。そして人さえ見れば直ぐそのバリカンを取り出して、「君、そんな頭をしていちゃ損だよ」と宣伝しては、縁側に座らして新聞紙を広げてその胸に当てさせる。

これで大事な「怒髪衝天」の特徴はなくなってしまったが、それでもまだ、奇峰のように聳《そび》え立った肩と、大して大きくはないが炬《たいまつ》のように光る眼と、口の右の角から上一寸ほどの鼻と並行してる何かの傷あととは、お巡り共をしり込みさせるには十分だ。

ことしのメーデーの時、彼《か》れが友愛会かどこかの旗を奪いとって、その鎗《やり》さきをふるって単身警官隊の中に突撃して行った光景の物凄かった事は、今でもまだ仲間の間の話のたねになっている。

が、彼《か》れは好い男だ。僕が彼れと一緒に行ったカフェの女給共の間では、「あの好男子のかた」で通っているくらいだ。従って彼れまたよく女にほれられるのだが、女給にだって戯談一つ言えない野暮天だ。ほれて来たってちょっとよりつきようもない。そして大《たい》がいは例の眼でにらみ帰されてしまう。

しかし、その彼れにだって、二、三年前にはちょうど彼れに似合いの綺麗な若いいい女があったんだ、今だって決して女嫌いという訳じゃない、「遊んだっていいんだけれど、どうも僕は直ぐ夢中になって参ってしまう癖があるんでね。」といっているくらいだ。ついでにいっておくが、彼れは今年二十八歳になる独身者だ。

そんな風なので、そしてお負《ま》けに気の置けない友人とのほかは随分無口なので、敵や或《あるい》はそれに似た人間共にはだいぶ近づきにくいようだが、しかし友人の間ではなかなか愛嬌者だ。もう三、四年来、僕の名で出している雑誌『労働運動』の実際経営者なのだが、商売用で行くどこの家にでも頗《すこぶ》る評判がいい。

「実におとなしそうな、しかししっかりしたいい人ですよ。」

というのが、まあ定評だ。そして最近にはとうとう書店アルスの北原君に見こまれて、そこの番頭さんに住みこむ事となった。が、彼れが『労働運動』の経営者であり、編集長である事には、ちっとも変りはない。やはり労働運動社の合宿の中にごろごろしている。

彼れは早稲田大学政治科の出身だが、学校では文学部の方へばかり顔を出していた。そして今では政治経済の議論もちっともしなければ、文学臭い事もまるでいわない。社会主義同盟の時なぞに、その執行委員の中の幹事として一番の働き手であったのだが、それでも何一つ理屈らしい理屈をいうた事はない。今でも、いわゆる社会主義者等がボルシェウィキと無政府主義者とに分れて、いろいろといがみ合っているのだが、そして彼れはその後者に属しているのだが、彼れは黙って何《な》んにもいわない。そして彼れがしたいと思うだけの事をコツコツやっている。ボルシェヴィキの奴等はちょっと理屈が違えば個人としても敵のように思っているが、彼れはそのボルシェヴィキと平気でつき合いもすればゆき来もする。

どうだろう、これで彼れにほれて来て、そして彼れににらまれない女はないものかな。

『改造』一〇月号、一九二二年一〇月一日

続獄中記　前科者の前科話（三）

「俺は捕えられているんだ」

千葉での或日《あるひ》であった。運動場から帰って、暫《しばら》く休んでいると、突然一疋《いっぴき》のトンボが窓からはいって来た。

木《こ》の葉が一つ落ちて来ても、花びらが一つ飛んで来ても、直ぐにそれを拾って、いろんな連想に耽りながら、暫くはそれをおもちゃにしているのだった。春なぞにはよく、桜の花びらが、どこからとも知れず飛んで来た。窓から見えるあたりには桜の木は一本もなかった。窓に沿うて並んでいる幾本かの青桐の若木と、堺が「雀の木」と呼んでいた何時も無数の雀が群がっては囀《さえず》っている何《な》にかの木が一本、向うに見えるほかには、草一本生えていなかった。されば、あの高い赤い煉瓦の塀のそとの、どこからか飛んで来たとしか思えないこの一片《ひとひら》の桜の花は、ただでさえ感傷的になっている囚人の心に、どれほどのうるおいを注ぎこんだか知れない。

何んでも懐しい。ことに世間のものは懐しい。多分看守の官舎のだろうと思われる子供の泣声。小学校の生徒の道を歩きながらの合唱の声。春秋のお祭時の笛や太鼓の音。時としては冬の夜の「鍋焼うどん」の呼び声。ことにはまた、生命のあるもの少しでも自分の生命と交感する何物かを持っているものは、堪らなく懐しい。空に舞う鳶、夕暮近く高く飛んで行く烏。窓のそとで呟く雀。

しかるに今、その生物の一つが、室の中に飛びこんで来たのだ。僕は直ぐに窓を閉めた。そして箒ではらったり、雑巾を投《ほう》ったりして、室じゅうを散々に追い回わした末に、漸《ようや》くそれを捕えた。

僕はこのトンボを飼って置くつもりだった。馴れるものか馴れないものか、僕はそれを問題にするほどトンボに知恵があるとは思っていなかった。が、出来るものなら、何にか食わせて、少しでもこの虫に親しんで見たいと思った。

僕はトンボの羽根を本の間に挟んでおさえて置いて、自分の手元にある一番丈夫そうな片《きれ》の、帯の糸を抜き始めた。その糸きれを長く結んで、トンボをゆわえて置くひもを作ろうと思ったのだ。

が、そうして、厚い洋書の中にその羽根を挟まれて、切《しき》りにもみ手をするように手足をもがいているトンボに、折々目をくばりながら、もうだいぶ糸も抜いたと思う頃に、ふと、電気にでも打たれたかのようにぞっと身慄いがして来た。そして僕はふと立ちあがりながら、そのトンボの羽根を持って、急いで窓の下へ行って、それをそとへ放してやった。

僕は再び自分の席に帰ってからも、暫くの間は、自分が今何をしたのか分らなかった。その時の電気にでも打たれたような感じが何んであったか、という事にすらも思い及ばなかった。僕はただ、急に沈みこんで、ぼんやりと何にか考えているようだった。そしてそのぼんやりとしていたのがだんだんはっきりして来るにつれて、何んでも糸を抜いている間に、「俺れは捕えられているんだ」という考がほんのちょっとした閃《ひらめ》きのように自分の頭を通過した事を思い出した。それで何にもかもすっかり分った。この閃きが僕に或る電気を与えて、僕のからだを窓の下まで動かして、あのトンボを放しにやらしたのだ。

僕は、今世間で僕を想像しているように、今でもまだ極く殺伐な人間であるかも知れない。少なくともまだ、僕のからだの中には、殺伐な野蛮人の血が多量に流れていよう。折を見ては、それがからだのどこかから、ほと走り出ようともしよう。僕は決してそれを否《いな》みはしない。殺伐な遊戯、殺伐な悪戯、殺伐な武術、その他一切の殺伐な事にかけては、子供の時から何によりも好きで、何人《なんぴと》にも負《ひけ》を取らなかった僕は、そしてそれで鍛えあげて来た僕は、今でもまだその気が多分に残っていないとは決していわない。

子供の時には、誰れでもがやるように、トンボや蟬や、蛙や蛇や猫や犬をよく殺した。猫狩りや、犬狩りをすらやった。そしてほかの子供等が或は眼をそむけ、或《あるい》は逃げ出してしまう程の残忍をあえてして、得々としていた。虫や獣が可愛いとか可哀相だ、なぞと思う事はほとんどなかった。ただ獣で可愛いのは馬だけだった。父の馬は、よく僕を乗せて、広い練兵場を縦横むじんに駈け回ってくれた。が、小動物は、すべて皆な、見つけ次第になぶり殺すものくらいに考えていた。

それが今、獄中でのこのトンボの場合に、ただそれを自分のそばに飼って見ようという事にすら、それ程のショックを感じたのだ。動物に対する虐待とか残忍とかいう事は、大きくなってからは、理性の上にはもちろん感情の上にも多大のショックを感じた。しかし、ことに自分がそれをやっている際に、こんなに強く、こんなに激しく、こんなに深く感じた事はまだ一度もなかった。そしてその時に僕は、僕のからだの中に、或る新しい血が滔《とう》々《とう》として溢れ流れるのを感じた。

その後僕は、いつもこの事を思い出すたびに、僕のその時のセンティメンタリズムを笑う。しかしまた翻《ひるがえ》っては思う。僕のセンティメンタリズムこそは本当の人間の心ではあるまいか。そして僕は、この本当の人間の心を、囚われ人であったばかりに、自分のからだの中に本当に見る事が出来たのではあるまいか。

『新小説』四月号、一九一九年四月一日

労働運動論

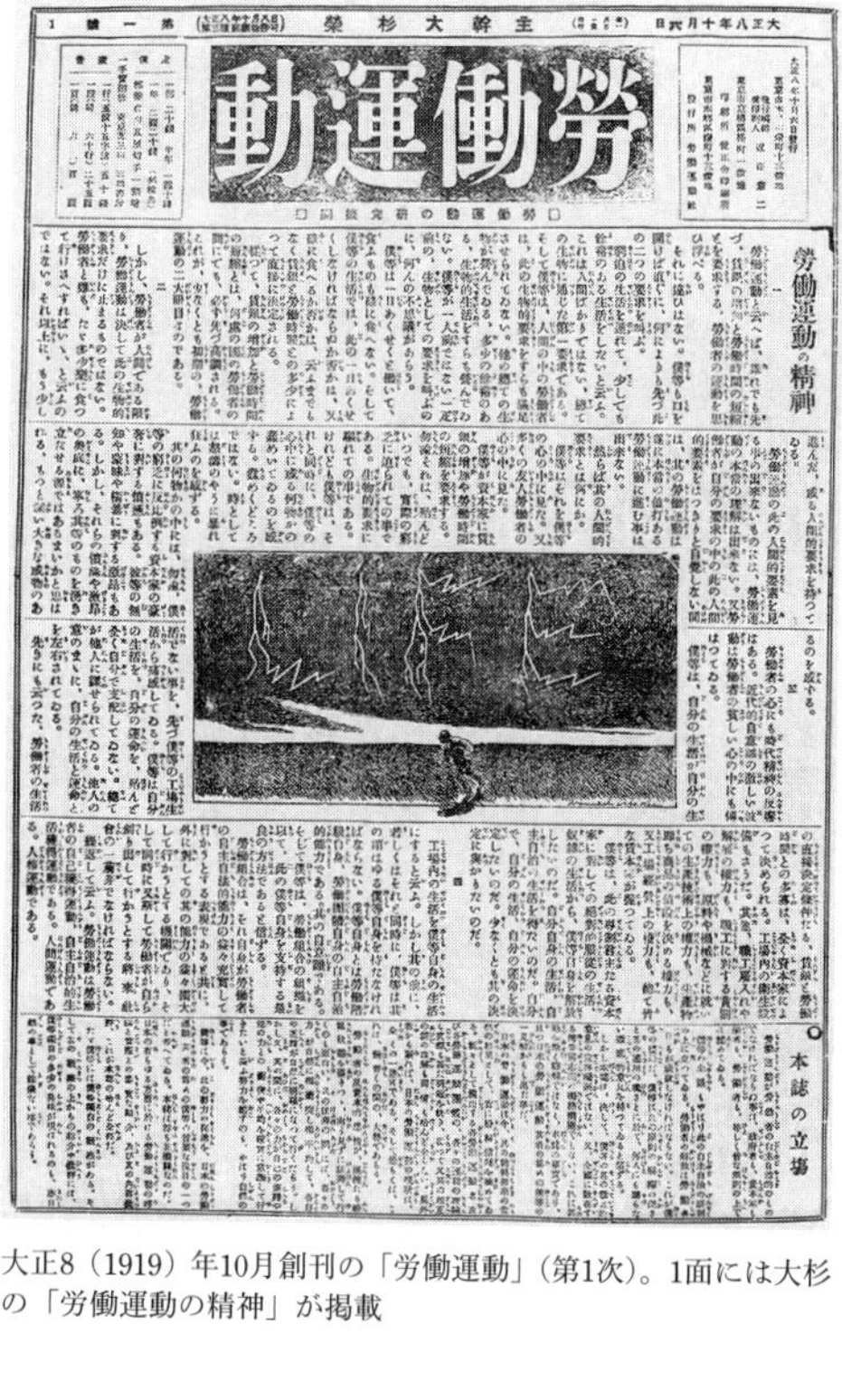

大正八年十月六日　主幹　大杉栄　第一號

労働運動

労働運動の精神

本誌の立場

大正8（1919）年10月創刊の「労働運動」（第1次）。1面には大杉の「労働運動の精神」が掲載

小紳士的感情

一

労働者町に住みたい。そしてなるべくは長屋生活のお仲間入りをしたい。これは随分久しい前からの僕の願いだった。

従来僕は、小官吏や小番頭なぞという中流階級の遁《に》げ場所である静かな郊外に、隠遁者のような生活ばかり送って来た。そしてそこから、時々、吾々《われわれ》平民労働者は、なぞというあくびのような声を世間に吐いていた。

しかし僕はその平民労働者でもなければ、また何《な》に一つその生活について本当に知っているのでもない、その生活に或《ある》いは適応し或は反逆する労働者の心持について、何《な》に一つ本当に知っているのでもない。知っているのは、ただ人の話や文字を通じての、概念化された事実だけだ。

元来僕は、僕のなまじっかな社会学から、虐《しい》たげるものと虐たげられるものとの階級をきめていた。甲階級のものが乙階級のものを虐たげるのは自明の理ときめていた。そして僕のこの理知は、どれ程他人を虐たげるものがあっても、またどれ程他人に虐たげられるものがあっても、少しもそれを不思議としない感情を僕に養った。虐たげるとか虐たげられるというのは、僕にとっては多くは事実そのものから得た実感ではなく、ただ書物の中で学んだ理屈に映った概念であった。直接に事実そのものにぶつかって、その事実の生々しい感銘が、僕自身の肉となり血となっているというようなのは一つもなかった。

だから僕は、どんな事実に対してでも、ただ傍観的に、平気で見ている事が出来るのだ。そしてその事実の中へ自分のからだを投げこまずに、ただ遠くから例のあくびのような声だけを出している事が出来たのだ。しかも、ただそれだけの事で、随分いい気になっている事が出来たのだ。

僕ばかりじゃない。社会主義者だとか、無政府主義者だとかいって大きな面をしている奴等の多くは皆《み》なそれだ。あいつらが自分自身を平民労働者と一つのもののようにいうのは皆な嘘っぱちだ。あいつらは皆なただ自分の概念の上でだけ平民労働者と一つのもののように思っているだけだ。概念とそのいわせる言葉の上でだけ平民労働者で、その他では全くの小紳士だ。

その感情もその行為も。

二

いい話がある。それは『転機』の中にも出ている谷中村の最後の出来事の時だ。

「きのうね、谷中からCという若い男が出て来て、だいぶ面白い話があるんだ。潴水池《ちょすいち》の沼の中にまだ十四、五軒ばかりの村民が残っていてどうしても出て行かない。県庁ではその処置に困って、とうとう来月の幾日とかに堤防を切ってしまうと嚇《おど》かしたんだ。堤防を切れば川から沼の中へどしどし水がはいって来る。従って村民もそこに住んでいる訳に行かない。どうしても何処かへ立ち退かなくちゃならん。そこで村民の方ではこうきめたんだそうだ。切るなら切れ、自分等は水の中に溺れ死んでも立ち退かない。」

その青年に会った先輩のSが僕にいった。

「随分ひどい事をするなあ。しかし、よく村民に、まだそれだけの元気があるね。」

僕は官憲の無法を憤るよりも、むしろ村民の気概を不審に思った。

「ところが実際はそうでもないんだよ。もう三十年近くもいじめつけられて困憊し切っているんだし、それに今では自分等の村を壊す潴水池の工事などに雇われて漸《よう》く生活しているくらいなんだから、元気でそうきめた訳じゃないんだ。自分等が溺れ死ぬのをまさかお上でもほうっちゃおくまい。それに、そうでもすりゃ、また新たに世間の同情をひくようにもなるだろう、くらいのところなんだね。」

「そうだろうね。その元気があれば、あんなにまでみじめにならんでも済んだのだろうから。」

「しかし、そのCという男はなかなかしっかりしているよ。自分だけは本当に死ぬ決心をしているらしいし、世間の同情なぞという事はちっとも当てにしちゃいない。ただ、自分等のこの最後から何等かの感激を世間に与えてやればいい、というように考えているらしいんだ。それに、こんどこっちに来たのだって、別に相談とか或はどうこうしてくれとか、いうんじゃなくって、ほんの報告に過ぎないようなんだ。」

「そりゃ面白いな。ほんとうに一人残らず溺れ死んでしまう方がいいんだ。なまじっか助けられたりしちゃ、それこそ本当にみじめなもんだからな。」

「うん、しかし結局はやはり皆んな助けられる事になるんだろうよ。」

二人の顔には堪らない凄惨の色は見えた。しかし、そうなっちゃつまらないという、物足りなさも隠す事は出来なかった。そして二人の話は、もとM新聞の記者であり、後Sなどの事業を助けて社会主義運動の最も有力な首領の一人に数えられ、今は静座法かなんかで済まし返っているKの事に移った。

「しかし、そのCという男は、やっぱりKなどのところへも行ったんだろうな。」

「さあ、よくは聞きもしなかったが、今迄の行きがかりもある事だから、行くには行ったろうと思うがね。しかしKも、T翁の危篤の時に、自分一人翁のそばに頑張っていて、誰《だ》れ一人寄せつけなかったとかいうんでだいぶ皆んなの気を悪くしたようだね。」

「そうだろうさ。あいつは、一時は谷中の問題といえば自分一人の問題のように騒ぎまわりながら、あとではふり返っても見ないでおいて、そうしてT翁が死ぬとなると、また自分一人のT翁のような振舞をしたんだからな。」


官憲が堤防を切るといって嚇かす。僕は官憲としては当然の無法だと思った。村民がいずれは誰れか助けてくれるに違いないと思って溺れ死んでも出て行かないと頑張る。僕は永年虐遇されて来た村民としては当然の卑劣、当然の意地だと思った。そしてこの最初から当然だと思わせる理知は、その無法に対する憤激やその卑劣と意地とに対する同情や同感を、本当の実感として深めさせない。いい加減なところで上滑りさせる。せいぜい、当然の事は仕方がない、ただ出来るだけその結果をより善き将来に寄与させたい、とくらいに考える。そしてそのためにはどんな犠牲でも、どんな悲惨でもただ面白いくらいに感ずる。ただというのは誇張過ぎようが、とにかく面白いと感ずる。

しかし僕等は、自分がこれほどまでに面白いと感ずる事を、黙って傍観しているんだ、丁度芝居を見るように泣きっ面をしながら面白がって見ているんだ。その人達と一緒にその犠牲や悲惨を少しでも分とうとはしない。そんな気持すらも起さない。飽くまでもただ見ているんだ。そして僕等は、いい気になって、なんにもしないKなぞの事を罵っているんだ。

三

こうしてお互にいい気になって、冷笑し合ったり罵倒し合ったりするのは、僕等の間では少しも珍しい事じゃない。

僕等はまず、僕等のいい気な罵倒を、僕等のそとに向けた。いわゆる個人主義者のその周囲の何事に付けてもの無関心に向けた。虐たげられるものに対する同情やその虐たげるものに対する憤激に向ける彼等の冷笑に対して、僕等は容赦のない罵倒を注いだ。

「幾ら同情して見たところで、憤激して見たところで結局それがどうなる。同情をする相手にはそれが何んの役にも立たず、憤激をする相手にはそれがためにかえって自分までが虐たげられる事になる。馬鹿馬鹿しいにも程がある。そんな余計なおせっかいをするよりは、黙って自分だけの仕事をしているがいい。」

これが彼等の言葉である。僕等は彼等の無関心だけならばまだしも許せた。それは彼等自身だけの事だからである。しかしその冷笑に至っては直接もしくは間接に僕等自身に響いて来る。僕等は当の敵よりもかえってこの冷血漢を憎む程にまで、僕等に対する悪感を激発させた。

しかし僕等は、かくして僕等が冷血動物と呼んだ彼等よりももっと冷酷な、もっと残忍な事を考えていた事に、少しも気がつかない。たとえばさっきの谷中村の時の事を思い出して見るがいい、あの程度の同情や憤激ならどんな冷血動物にだって出来る。けれどもそれ以上に僕等は何にをしたか。何んにもしない。そしてただ村民が皆んな溺れ死んでしまえば面白いと思った。助けられるんではつまらんと思った。


僕等というぼんやりした一つのサークルのうちにだってそうだ。

Sと僕とは、もう余程以前から、お互の主義や主張にだいぶ懸隔《けんかく》があった。お互の運動の方針にだいぶ緩急の差があった。S及びその近い周囲のものの思想や行動に対する僕等のいい気な冷笑は、僕等に対する彼等の等しくまたいい気な冷笑と相報いた。僕等が彼等の集会とは別に新しい集会を始めて、僕等の集会の方がかえって盛大になったのを見て、お互にやはり冷笑し合った。Aや僕が多少社会的に知られ出して、文壇の一部で僕等の方が彼等よりも多少歓迎された事も、やはりお互の冷笑のたねになった。そんなあれやこれやの下らん小紳士的いきさつから、彼等と僕等とは互に少なからず侮蔑し合っていた。

僕等が近代思想の文壇的運動にいや気がさして、少しでも僕等の本領に近い社会的運動を志し、新たに月刊平民新聞を起した時にも、彼等はやはり冷笑の眼を以て見ていた。

「向う見ずめが、今に見ろ。」

尤《もっと》も彼等と雖《いえど》も強《あなが》ちそうとばかり思っていたのではあるまい。ことに、少なくともSだけは、こうして逸《はや》りに逸る僕等の将来を真面目に心配していてくれた。しかし彼等の心のどこかにはこの冷たい嘲りが含まれていた。そして平民新聞が幾回か号を重ねて、しかも一回だに満足に出す事が出来なかった時には、まさかにSだけはそうだろうともいえまいが、彼等の顔には勝利の微笑すらが現われていた。

四

それればかりじゃない。Aや僕の周囲にいるものまでが、余りに頻々《ひんぴん》たる〔発売頒布〕禁止に少々飽いて来た。

「出せるようなものを出したらどうだろう。」

僕はだんだんに僕の周囲にこの言葉を聞くようになった。いかにも尤も千万な言葉ではある。しかしそこにもやはり多くの場合には冷笑が籠っていた。そして、この言葉程僕の癪《しゃく》にさわった言葉はなかった。その後余程経ってからの事ではあるが、再び近代思想の復活を謀って再びまた禁止の連続に至った時、僕はついにその巻頭語の中に僕のこの痼癪《かんしゃく》を破裂させてしまった。

「僕はさきの平民新聞時代と今回の引続いての発売禁止によって、数人の同志から出せるようなものを出したらどうだという忠告を受けた。そして僕はこの恐らくは厚意の忠告に対して甚《はなは》だしい不快の感を抱いた。そんな事をいって来る奴等は同志でもない、友人でもないとすら思う程に激昂した。よし僕の編集した平民新聞なり近代思想なりが、どれ程没常識な無茶なものであったところで、僕の本当の同志や友人はそれ程無茶なものを造り上げた僕の心事を理解してくれるに違いない。

「しかも僕には、従来の僕の編集した雑誌がそんな無茶なものだとは決して思えない。随分我を折った僕としてはほとんど恥じ入るばかりの、妥協に充ち満ちたものであった。それでいて発売を禁止されるのはされる僕が悪いのか、する政府が悪いのか。僕はどちらもいいのだと信ずる。どちらも当然の事をしているのだと信ずる。ただ悪いのは、そんな場合に編集者を責めて、政府者の味方をする奴だ。そんな奴等が多いから、いつまでも政府は遠慮なくその権威をふるう事が出来るのだ。」

また、いつかSが同志の集会について、僕にこんな事をいった事がある。

「いわばまあ、どこかの旦那衆が、自分免許の義太夫を唸《うな》って聞かせるために、親類縁者を寄せ集めるようなものなんだからな。」

これには、多くの同志に対する不満とともに、軽い自嘲と、及び主としては僕等に対する嘲笑が含まれていた。僕はむっとした。しかしまたその皮肉をうまいなあとも思った。そして多くの同志に対する不満には全くSに同意する外はなかった。

「まるで暖簾《のれん》に腕おしだな。」

僕はAとよくこんな事をいった。いわゆる同志と称するものの多くはただ以前から同志の列に加わっているというだけの事で、大逆事件以来の迫害の恐怖と暫《しばら》くの無為無能との習慣から、全くの惰性に陥っていた。社会改革家の精神というようなものまでも全く忘れたようになっていた。Aと僕とは、もし平民新聞の発行が許されて多少の実際的運動を始められれば、彼等のこの惰眠を目覚す事が出来ようかと思った。また、もし平民新聞が司法処分に問われてAと僕とが入獄すれば、或は彼等に対する多少の刺戟《しげき》にもなろうかと思った。しかし政府の方が僕等の先を越して行った。以前とは全く変ってただ行政処分だけで済ませる。そしてほとんど全く実際運動の余地を与えない。ことに三度目の時には、Aと僕とは、

「仏の顔も三度というから、況《いわ》んや……」

なぞとふざけながら、すっかり入獄の準備をしていた。しかしそれも、不本意ながら、無事に済んでしまった。

これは僕やAやSにいわせた他の同志等に対する不満である。誇りである。しかしその他の同志等にいわせれば、やはり同じような或は違った不満と誇りとを僕やSやAに抱いていたに違いない。そしてお互に何んにもしないで、お互の冷笑と罵倒とを事として、いい気でいた。このいい気の中には、ことに僕やSやAなぞのそれの中には、小紳士的分子が多分に含まれている。

五

僕等自身を平民労働者と一つに考えたい僕等は、何によりもまず、僕等自身の中にこの小紳士的分子を逐い退けなくちゃならん。小紳士的感情を滅尽《めつじん》しなくちゃならん。そのためには、やはりまず、僕等の小紳士的生活を棄てなくちゃならん。出来るだけ僕等自身の生活を平民労働者的にしかつ出来るだけ平民労働者の実際生活に接近しなくちゃならん。そして僕等自身の中に平民労働者との一体的感情を養わなくちゃならん。

僕は幾年もの間この考に耽っていた、この願いに憧がれていた。そして今だにまだその考えや願いの幾分すらも実現していない。僕は僕自身の意気地なさにほとほと呆れる。

生活の窮境が漸く僕を無理強いに労働者町に押しやってくれた。それでもまだ少々の敷金を握っていたばかりに長屋にはいる事は出来ずに、一軒建ちの小紳士的貸家を選んでしまった。恐らくは僕は、もっともっと窮境に迫られるまでは、やはり今のこの生活に落ちついているに違いない。

それでも、とにかくこの労働者町に押しやられて来た事だけはいい気持だ。大小幾千百の工場のがんがんする響きともうもうする煙との間に、幾千幾万の膏だらけ煤だらけの労働者の間に、その実際生活に接近している事だけでもいい気持だ。だらけた気分が引きしまって来る。こうしちゃいられないという気持が日に日に強まって来る。

お互の間の小さな主観や、野心や、従ってそこから起る妙な嫉妬なぞを一切なげうって、ただ本当に労働者と一つになってしまわなければ、とつくづくと思う。


『文明批評』第一巻第二号、一九一八年二月一日

僕等の主義

自分の事は自分でする。

これが僕等の主義だ。僕等労働者の、日常生活の上から自然に出来た、処世哲学だ。僕等には、それで食って行くという、親の財産はない。また噛《かじ》るべき親の脛《すね》もない。僕等は小学校を終えるか終えないうちから、自分で働いて自分で食って来た。自分の身の回りの一切の世話も、親や兄姉の忙しい僕等の家庭では、子供の時からすべて自分でやって来た。自分で自分の事をするのはいい気持だ。何事にでも我《わ》がままがきく。勝手でいい。威張《いば》られる事もなし、恩に着る事もなし、余計なおせっかいをいわれる事もない。

少し大きくなって、世間とのいろいろな交渉が出来始めてからも、やはり自分の事は大概自分でしなければならなかった。そして、やはり自分でやるのがいつも一番気持がよかった。自分の事は自分が一番よく知っている。自分のことは自分が一番熱心にやる。失敗すれば失敗するであきらめもよくつき、また新しい方法の見当も直ぐにつく。人にやって貰ったんでは、不足があっても、有難うとお礼をいって満足していなければならない。よしまたうまくやってくれたところで、自分でしなかった事が僕等には不足になる。

世間はますます複雑にかつますます面倒になった。敵と味方の区別すらもちょっとは分らない。人に頼んでは馬鹿ばかり見る。ことに何か甘《うま》そうな事をやってやろうという先生等にたのむと、いつも必ず大馬鹿を見る。

労働運動でもやはりそうだ。

『労働者』一九一九年八月

労働運動の精神

一

労働運動といえば、誰《だ》れでもまず、賃銀の増加と労働時間の短縮とを要求する、労働者の運動を思い浮べる。

それに違いはない。僕等も口を開けば直ぐに、何《な》によりもまずこの二つの要求を叫ぶ。窮迫の生活を遁《のが》れて、少しでも余裕のある生活をしたいという。これは人間ばかりではない、すべての生物に通じた第一要求である。そして僕等は、人間の中の労働者は、この生物的要求をすらも満足させられていない。他のすべての生物が営んでいる、多少の余裕のある、生物的生活をすらも営んでいない。僕等が一人前ではない一疋《ぴき》前の、生物としての要求を叫ぶのに、何んの不思議があろう。

僕等は一日あくせくと働いて、食うものも碌《ろく》に食えない。そして僕等の生活では、この一日あくせくしなければならぬか否かは、また碌に食えるか否かは、いうまでもなく賃銀と労働時間との多少によって直接に決定される。

従って、賃銀の増加と労働時間の短縮とは、何処の国の労働者の間にでも、必ずまず高調される。これが、少なくとも初期の、労働運動の二大眼目なのである。

二

しかし、労働者が人間である限り、労働運動は決してこの生物的要求だけに止まるものではない。労働者と雖《いえど》も、ただ多少楽に食って行けさえすればいい、というのではない。それ以上に、もう少し進んだ、或《あ》る人間的要求を持っている。

労働運動のこの人間的要求を見る事の出来ないものには、労働運動の本当の理解は出来ない。また労働者が自分の要求の中のこの人間的要素をはっきりと自覚しない間は、その労働運動はついに本当の値打ある労働運動に進む事は出来ない。

しからばその人間的要求とは何にか。

僕等はそれを僕等の心の中に見た。また多くの友人労働者の心の中に見た。

僕等が資本家に賃銀の増加や労働時間の短縮を要求する。もちろんそれは、ほとんどいつでも、実際の窮乏に迫られての事である。生物的要求に駆られての事である。けれども僕等は、それと同時に、僕等の心中に或る何物かの蠢《うご》めいているのを感ずる。蠢めくどころではない。時としては怒濤のように暴れ狂うのを感ずる。

その何物かの中には、もちろん、僕等の窮乏に反比例する資本家の豪奢に対する憤懣《ふんまん》もある。彼等の無知や蒙昧《もうまい》や横暴に対する激昂もある。しかし、それらの憤懣や激昂の奥底に、むしろそれらのものを湧き立たせる源ではあるまいかと思われる、もっと深い大きな或物《あるもの》のあるのを感ずる。

三

労働者の心にも時代精神の反響はある。近代的自意識の激しい波動は労働者の貧しい心の中にも伝わっている。

僕等は、自分の生活が自分の生活でない事を、まず僕等の工場生活から痛感している。僕等は自分の生活を、自分の運命を、ほとんど全く自分で支配していない。すべてが他人に課せられている。他人の意のままに、自分の生活と運命とを左右されている。

さきにもいった、労働者の生活の直接決定条件たる、賃銀と労働時間との多寡《たか》は、全く資本家によって決められる。工場内の衛生設備もそうだ。その他、職工雇入れや解雇の権力も、職工に対する賞罰の権力も、原料や機械などについての生産技術上の権力も、生産物すなわち商品の値段を決める権力も、また工場経営上の権力も、すべて皆な資本家が握っている。

僕等は、この専制君主たる資本家に対しての絶対的服従の生活、奴隷の生活から、僕等自身を解放したいのだ。自分自身の生活、自主自治の生活を得たいのだ。自分で、自分の生活、自分の運命を決定したいのだ。少なくともその決定に与《あず》かりたいのだ。

四

工場内の生活を僕等自身の生活にするという。しかしその前に、もしくはそれと同時に、僕等はそのいわゆる僕等自身を持たなければならない。僕等自身とは労働階級自身、労働団体自身の自主自治的能力である。その自意識である。そして僕等は、労働組合の組織を以て、この僕等自身を支持する最良の方法であると信ずる。

労働組合は、それ自身が労働者の自主自治的能力のますます充実して行こうとする表現であるとともに、外に対してのその能力のますます拡大して行こうとする機関であり、そして同時にまた斫《かく》して労働者が自ら創り出して行こうとする将来社会の一萌芽でなければならない。繰り返していう。労働運動は労働者の自己獲得運動、自主自治的生活獲得運動である。人間運動である。人格運動である。

『労働運動』第一次第一号、一九一九年一〇月六日

労働運動理論家　賀川豊彦論　続

*後に改題「賀川豊彦論（続）」

創刊号に書いた「賀川豊彦論」がだいぶ評判が悪い。ことに関西地方の、賀川君を直接に知っている同志からの、いろんな苦情が来る。別項の「買いかぶるな」もその一つだ。その他にも、「大杉君が僕をうんとやっつけるつもりでね、僕の書いたものは単行本はもちろん労働者新聞を初号から全部揃えて読んだんだ、そして労働運動創刊号の巻頭の論文と来たらまるで僕の書いたものそっくりなんだからね、アハハハハ」と賀川君がどこかで誰れとかに話していた、「そりゃ随分いい気な思い上ったものだよ、お調子もののつけ上りやでね」などという妙な告げ口の通信も来た。「あいつは君、いつか君が岩野を批評した言葉そのままの偉大な馬鹿だよ」と賀川君に会って来た或人《あるひと》の罵倒も聞いた。そして皆んなが同じように「あんなに遠慮して書いちゃ駄目だよ」という。

とにかくその後僕の耳にはいった賀川君の評判ははなはだよろしくない。しかし評判は評判だ。その文章以外には賀川君を少しも知らない僕は、やはり文章の上の賀川君を信ずる外はない。そして賀川君に対する僕の批評も、さきの「豊彦論」の中にいった四つの文章についてだけは、その後も少しも変らない。遠慮もない。気がねもない。ただ読んで浮んだ感じそのままを書いたのだ。

しかしその後「産業戦争における無抵抗主義」（改造十二月号）を読んで、さきの「豊彦論」につけ加えなければならない或物を見出した。それで再び「豊彦論」を書く。おだてや告げ口に乗ったつもりはないが、少々はそれも混っているかもしれない。

一

僕はさきに、賀川君はその理想的新社会への道を、革命でもなく階級闘争でもなく、知識革命であるという。宗教的情緒、悔改的形式で来る精神運動であるという。少なくともそうあって欲しい、そう夢みているという。そしてただ、もし貨幣主義者等がこの人格的運動を否定するならば、それはただ最後の手段として××××××××道はないと思う。そして最後に「我等はこの二つの道の何《いず》れかを選ぶべき岐路《わかれみち》に立っている。今は我等には産みの難《なや》みの日である」と結論している、といった。

そしてなお僕は、この点では確かに賀川君の方が僕よりも余程理想主義的だ。しかし賀川君はなおその間にいう。「もしこの×××××行く道には、多くの組織と連絡と知識的準備とが要る」と。その組織のいかん、連絡のいかん、及び知識的準備のいかんについては、或は賀川君と僕の間に異論があるかもしれない。が、これだけの言葉の上でだけではほとんど一致する、といった。

僕は賀川君のいわゆる「宗教的情緒、悔改的形式で来る精神運動」には余程の軽蔑を持っていた。しかしその「もし貨幣主義者等がこの人格的運動を否定するならば」以下の文字の中に、賀川君の最後の覚悟を見た。そしてこの最後の覚悟さえついていれば、そのいわゆる知識革命も自然と賀川君自身がいっているようなのとは大《だい》ぶ違った意味に進まなければならぬはずだと思った。それで、とにかくまず、その知識革命という文字だけに賛成して置いた。

ところが、こんどの「産業戦争における無抵抗主義」を読むと、賀川君のこの覚悟は頗《すこぶ》る怪しい。その覚悟から生ずる心理的結果が少しも現われてはいない。

二

僕は賀川君の博識な、それとも衒学《げんがく》的な、いろんな余計な議論はすべて省く。そして直ちに君のストライキ論にはいる。

賀川君の文章には往々何《な》んの事だかまるで分らぬところがある。たとえばこのストライキ論の最初である「直接行動としてのストライキ」という一項は、「しからば私は直接行動としてのストライキを階級闘争的の手段であると考えぬかというに、私は必ずしもこれを流血革命的の手段とは考えないのである」で始まる。実に珍妙極まる自問自答だ。それから一つ飛んで「ストライキと社会革命」の項は、「世界にはストライキを労働者の争闘的最大武器――社会革命に導く近道の様に信じている人がある。しかしそれは間違であって、もしストライキを争闘のための争闘として使用し、略奪本能と争闘本能で毒せられた過去の文明の様にただ貪るためにストライキをするならば、労働運動は悪化し、労働者自身の自滅は近いのである」で始まる。争闘のための争闘のストライキ、ただ貪るためのストライキがどうであろうとも、だからストライキは労働者の争闘的最大武器でない、社会革命に導く近道でない、となるとこれまた実に珍妙極まる論理だ。

とにかく賀川君のストライキ論は、こういった冒頭で始まって、ストライキは「社会を教育する手段だと考える」事に終った。

ストライキは「労働者の自殺運動であるのだ。或はこれを動物――蜘蛛などの敵に追われた時に行う擬死に仮《たと》える事が出来る。しかし労働者がこの断食的絶望的運動をあえてしてまでも社会を覚醒しなくてはならぬというのは、生産者を離れて有産者階級は何事をも為し得ないという事を教えるためである。」

「生産者が今日の世界に秩序と正義と自由への道を最も平和的な手段で教えるのである。真正の社会を産まんがための教育的直接行動である。」

「ストライキが社会改造の用途に立つのは、労働者が略奪者をそのまま目醒《めさま》さずに奴隷的生活に甘んずるよりも、かくする事が人道的であるからである。」

「これは我に目覚めた労働者が社会に訴えるただ一つの道である。これは争闘手段ではない。シベリアの馬群が狼に追われた時に円陣を作って、馬面を外に向けて狼を威嚇する様に、ストライキは争闘手段を捨てた新しい時代の生産者が狼を追うための防衛手段である。」

「生産者は凡《すべ》ての武器を捨てる。彼等は本能的他愛主義者であり、そしてただ断食して社会改造を待つのみである。」

賀川君の考えるストライキはこの無抵抗的断食的教育手段である。そして賀川君は、生産者を離れて有産者階級は何事をも為し得ないという事を教えるこの手段の中に、些《いささか》の闘争的意味もないものと考えているらしい。もしその意味が含まれていれば、賀川君には、それはもう社会改造的ストライキではなくなるのだ。

三

僕はたいがいの資本家及び労働者とともに、ストライキは喧嘩だと感じている。資本家の人格を損《そこな》おうとする労働者と、労働者の人格を圧《おさ》えようとする資本家との喧嘩だと感じている。資本家の人格とは専制人である。労働者の人格とは自主自治人である。

僕はまたたいがいの労働者とともに、この喧嘩が物質上の利益を得させると同時に人格上の満足をも与える最後の手段だと感じている。時々は、物質上の利害はともかくとして、一種の人格上の満足、すなわち意地のための喧嘩だと感じている。

負ける事はよく負ける。しかし幾度負けてもその喧嘩の間に感じた愉快さは忘れる事が出来ない。意地を張《はっ》て見た愉快さだ。自分の力を試して見た愉快さだ。仲間の間の本当に仲間らしい感情の発露を見た愉快さだ。いろんな世間の奴等の敵と味方とがはっきりして世間が見えて来る愉快さだ。そしてまた、そういったいろんな愉快さの上に、自分等の将来、社会の将来がだんだんとほの見えて来る愉快さだ。自分等の人格の向上するのを見る愉快さだ。

で僕は、たいがいの労働者とともに、この喧嘩は自分等の人格の錬磨、自己教育だと感じている。

そしてまた僕は、たいがいの労働者とともにこの喧嘩が可哀相な敵を目醒してやるとか教えてやるとかいう、生《なま》やさしい深切気から出たものと感じていない。生長しようとする自分等の人格を無視し圧迫しようとする憎々しい障碍《しょうがい》に対する突貫だと感じている。敵がそれによって教えられ目醒めしめられるのは、この突貫の威力に恐怖した、ただの結果だと感じている。そして敵のこの恐怖が戦慄に変らない間は、専制人としての敵の人格は滅びず、従ってまたその新しい人格も生れ出て来ないと感じている。

この感じは賀川君が認める階級闘争の事実が妊《はら》ました感じだ。そして労働運動はこの生々しい実感の上に立脚するものである。

四

この階級闘争の最後の大団円《だいだんえん》をして出来るだけ流血の惨事を免がれしめたい事は、労働者も、すべての人とともに望むところである。しかしそれが平和で終るか否かは、賀川君のいわゆる貨幣主義者等の態度いかんにある。そしてそれは社会的改造の成否を決定する事には決してならない。従って労働者の努めなければならぬのは、その解放の事業の平和か否かにあるのではない。それは労働者の知った事じゃない。労働者はただひたすらにその人格的運動、自己教育的運動の完成に邁進すればいいのだ。そしてこの自己教育的運動が、同時にまた、自然に賀川君のいうが如き社会教育的運動になるのである。

この覚悟のない労働運動はついに無駄である。そしてまた、この覚悟を持たないいわゆる労働運動の指導者は当然労働者に唾棄せらるべき運命を持つものである。

『労働運動』第一次第三号、一九二〇年一月一日

新秩序の創造

一

本月もまた特に評論して見たいと思う程の評論が見つからない。ただ一つ『先駆』五月号所載「四月三日の夜」（友成与三吉）というのが、ちょっと気になった。

それは、四月三日の夜、神田の青年会館に文化学会主催の言論圧迫問責演説会というのがあって、そこへ僕等が例の弥次《やじ》りに行った事を書いた記事だ。友成与三吉君というのは、どんな人か知らないが、余程眼や耳のいい人らしい。僕がしもしないまたいいもしない事を見たり聞いたりしている。たとえば、その記事によると、賀川豊彦君の演説中に、僕がたびたび演壇に飛びあがって何《な》にかいっている。

しかし、そんな事はまあどうでもいいとして、ただ一つ見《み》遁《のが》す事の出来ない事がある。それは、賀川君と僕との控室での対話の中に、僕が「僕はコンバーセーションの歴史を調べて見た。聴衆と弁士とは会話が出来るはずだ」というと、賀川君が「それはいったいどういう訳だ」と乗り出す。それに対して僕がフランスの議会でどうのこうのと好い加減な事をいう。というこの最後の一句だ。何にが好い加減か。この男は自分の知らない事はすべて皆な好い加減な事に聞えるものらしい。

演説会での、僕等のいわゆる弥次、もしくは打ち毀《ぶこわ》しについては、世間では随分いろんな悪評がある。で僕はこの機会を利用して、この悪評に対する悪評をして見たいと思う。

二

先日、神戸で賀川君と会った時、賀川君も切《しき》りに僕等のいわゆる弥次を批評し、堺利彦君の言葉まで引合いに出して、あんまり世間の反感を買わないようにと深切らしく忠告までしてくれた。

僕等の弥次に対して最も反感を抱いているのは警察官だ。

警察官は大抵仕方のない馬鹿だが、それでもその職務の性質上、事のいわゆる善悪を嗅《か》ぎ分ける可なり鋭敏な直覚を持っている。警察官の判断は、多くの場合に盲目的にでも信用して間違いがない。警察官が善いと感ずる事はたいがい悪い事だ。悪いと感ずる事はたいがい善い事だ。この理屈は、いわゆる識者共には、ちょっと分りにくいかも知れんが、労働者には直ぐ分る。少なくとも労働運動に多少の経験のある労働者は、人に教わらんでもちゃんと心得ている。そしてそれを、往々、自分の判断の目安にしている。いわばまあ労働者の常識だ。

僕等の弥次に反感を持つものは、労働者のこの常識から推せば、警察官と同じ職務、同じ心理を持っている人間だ。僕等は、そんな人間共とは、喧嘩をするほかに用はない。

三

元来世間には、警察官と同じ職務、同じ心理を持っている人間が、実に多い。たとえば演説会で、ヒヤヒヤの連呼や拍手喝采のしつづけは喜んで聞いているが、少しでもノオノオとか簡単とかいえば、直ぐ警察官と一緒になって、つまみ出せとか殴れとかほざき出す。何んでも音頭取りの音頭につれて、皆んなが踊ってさえいれば、それで満足なんだ。そして自分は、何々委員とかいう名を貰って、赤い布片《きれ》でも腕にまきつければ、それでいっぱしの犬にでもなった気で得意でいるんだ。

奴等のいう正義とは何んだ。自由とは何んだ。これはただ、音頭取りとその犬とを変えるだけの事だ。

僕等は今の音頭取りだけが嫌いなのじゃない。今のその犬だけが厭《い》やなのじゃない。音頭取りそのもの、犬そのものが厭やなんだ。そして一切そんなものはなしに、皆んなが勝手に踊って行きたいんだ。そして皆んなのその勝手が、ひとりでに、うまく調和するようになりたいんだ。

それにはやはり、何によりもまず、いつでもまたどこにでも、皆んなが勝手に踊る稽古をしなくちゃならない。むつかしくいえば、自由発意と自由合意との稽古だ。

この発意と合意との自由のない所に何んの自由がある。何んの正義がある。

僕等は、新しい音頭取りの音頭につれて踊るために、演説会に集まるのじゃない。発意と合意との稽古のために集まるんだ。それ以外の目的があるにしても、多勢集まった機会を利用して新しい生活の稽古をするんだ。稽古だけじゃない。そうして到る処に自由発意と自由合意とを発揮して、それで始めて現実の上に新しい生活が一歩一歩築かれて行くんだ。

新しい生活は、遠い或は近い将来の新しい社会制度の中に、始めてその第一歩を踏み出すのではない。新しい生活の一歩一歩の中に、将来の新しい社会制度が芽生えて行くんだ。

四

長せりふは昔しの芝居の特徴で、新しい芝居では短かい対話が続く。芸術は社会の鏡だ。世相が芝居という鏡に写ったのだ。

人の長話を黙って聞いているのは、音頭取りすなわち上の階級の人に対してだけだ。同じ階級の人の間では、長せりふがなくなって、短かい対話が続く。長い独白《どくはく》から短かい対話へ、これが会話の進化だ。人間の進化だ。

音頭取りの音頭につれて踊る社会では、学校でも演説会でもそうだが、講壇や演壇の上の人は、一人で長い独白を続けて、下の人々に教える。下の人々を導く。しかし人間がだんだん発意を重んずるようになると、その長い独白がちょいちょい聴衆の質問や反駁《はんばく》に出遭って中断される。そしてついには、いわゆる講義や演説が壇上の人と壇下の人々との対話になって一種の討論会が現出する。

演説会は討論会じゃないという。またそうなっては会場の秩序が保てないという。そして弁士の演説に一言二言の批評を加える僕等を、その演説会の妨害か打ち毀しかに来たものと考えて、警察官と主催者と聴衆とが一緒になって騒ぎ出す。馬鹿な事だ。

五

しかし、一番早く分るのは聴衆だ、民衆だ。僕等のいわゆる弥次に、最初は盛んに吠えついている聴衆が、だんだん僕等の味方になる。そして最後にはほとんど皆んな僕等の味方になる。しかも会場のいわゆる秩序は、新しい形となって、立派に保たれて行く。

いつかの晩だってそうだ。最初僕等が弥次り出した時には、聴衆のほとんど全部が起上《たちあが》って、つまみ出せの黙れのと怒鳴り出した。警察官は僕等を取り囲んだ。そして僕等の手足をとって引きずり出そうとした。が、僕等の方の勢も相応に強いので、もし強いてそうしようとすれば、かえって会場の秩序を全く打ち毀してしまいそうな形勢になった。それに、聴衆の中にも、僕等が警察官の暴力を受けそうになると、急にその民衆的本能を出して、僕等をかばいにかかるものが出て来る。敏感な警察官等は直ぐにそれを察して、やむを得ず手をひっこました。

僕等はその勢に乗じてますます弥次った。弁士の言論の曖昧矛盾を指摘した。そのいわんと欲していい得ざる点を補足した。僕等の弥次は大抵その肯綮《こうけい》に当っていた。聴衆は僕等の弥次に拍手し出した。そして自らもまただんだん、弁士の言論に対する質問や反駁のいわゆる弥次を始め出した。弁士や主催者や警察官は、にがり切った顔をして、仕方なしに黙認していた。

最後に僕が演壇に起った。最初僕等をつまみ出せの、気ちがいめのと罵っていた聴衆が、今までの弁士に対するよりも遥かに盛んに、猛烈な拍手を浴せかけた。

僕は演壇の上と下との会話や討論を弁士として試みようと思った。実は、僕自身にとっても、数百もしくは数千という会衆の前では最初の試みであったのだ。僕のどもりと訥弁《とつべん》とで、また大演説会というようなものに場所馴れない臆病さとで、果してそれがうまくやれるかどうか、僕は心中はなはだそれを危ぶんでいた。

が、僕は演壇に上ると直ぐ、すっかりいい気持になってしまった。何にを話しするかの準備も何にもなかった。僕はただ、今現に会場のすべての人の間に実際問題となっている、会場の秩序そのものについて、皆んなと話し合おうと思った。しかしその話し合おうと思った事が、既にもう、皆んなの間に立派に了解されてしまっていたのだ。新しい秩序の気分が全会場に漲《みな》ぎっていたのだ。

僕はふだんの吃《ども》りも場馴れない臆病さも全く忘れて、酔ったようないい気持になって、聴衆の皆んなと会話した、討論した。僕はあんな気持のいい演説会は生れて始めてだった。

弁士と聴衆との対話は、極く少人数の会でなければ出来ないとか、十分にその素養がなければ出来ないとかいう反対論は、これで全く事実の上で打ち毀されてしまった。

僕等のいわゆる弥次は、決して単なる打ち毀しのためでもなければ、また単なる伝道のためでもない。いつでも、またどこにでも、新しい生活、新しい秩序の一歩一歩を築きあげて行くための実際運動なのだ。

怒鳴る奴は怒鳴れ、吠える奴は吠えろ。音頭取りめらよ。犬めらよ。

『労働運動』第一次第六号、一九二〇年六月一日

社会的理想論

一

無政府主義者ことにクロポトキンはよくいう。労働者はまず、その建設しようとする将来社会についての、はっきりした観念を持たなければならない。この観念をしっかりと摑んでいない労働者は、革命の道具にはなるが、その主人にはなる事が出来ないと。

実際労働者は、今日までのどこの革命にでも、いつも旧社会破壊の道具にだけ使われて、新社会の建設にはほとんど与《あず》かっていない。大部分は自分等の力で破壊しておきながら、それが済めば、あとは万事を人任せにしている。そしてそのいわゆる新社会が、全く旧社会同様の他人のためのものになる事に、少しも気がつかない。

しかしこれは、労働者に新社会組織についてのはっきりした観念がないという事よりもむしろ、自分の事はすべて飽くまでも自分でするという、本当にしっかりした自主心がないからではあるまいか。

たとえば、よし労働者に新社会組織の観念がないにしても、自ら旧社会の破壊とともに新社会の建設にも与かりさえすれば、その革命の主人になる事が出来る訳だ。また、よし労働者がその観念を持っているにしても、それが、他人の知恵で造って貰ったものであれば、その革命の本当の主人にはなる事が出来ない訳だ。それからまた、よしその観念があるにしても、その建設はやはり人任せにする事が出来る訳だ。

従って、労働者が本当に革命の主人となるためには、自分等のための新社会を造るためには、何《な》によりもまず、労働者の解放は労働者自らが成就するという、自主心の徹底に努めなければならない事になる。

僕は今それを、クロポトキンのいわゆる「新社会組織についてのはっきりした観念」を摑む事について、ことに論じて見たいと思う。

二

新社会組織についての観念、すなわち新社会の理想、といったところで、まずどんな観念、どんな理想を持てばいいのか分らない。

それには、労働者の目の前に、既にいろんな見本が出来ている。無政府主義のそれもある。社会民主主義のそれもある。センディカリスムもある。ギルド社会主義もある。

しかし労働者は、今直ぐには、その中のどれを選べばいいのか分らない。いずれも皆な、それ相応に、尤《もっと》もらしい理屈を持っている。が、その中のどれが一番いいのか、労働者にはまだ本当には分らない。

それに労働者は、そんな観念とか理想とかの見本を理屈の上で比較研究する前に、そのせっぱつまった生活の、少々でもの改善を謀《はか》らなければならない。それが労働者の目下の急務だ。

そして労働者は、この急務に努力しつつある間に、資本家と労働者との関係、政府と資本家もしくは労働者との関係等についての、その地位を漸次《ぜんじ》自覚して来た。今日の社会制度の根本的誤謬《ごびゅう》にまでも気づき出した。また、労働条件改善のためのその努力の中に、それよりももっと強くその心中に湧いて来る、自由の精神に目覚めて来た。

これは、僕が今、多くの労働者の中に見る事実だ。そしてそれらの労働者は今、その眼前に見せつけられる諸種の社会的観念や理想をそのまま受け入れる前に、彼等自身が獲得して来た社会的知識と自由の精神との結合に努力している。見本の買入れよりも、その見本の刺戟《しげき》の下に、自分の品物を造り出そうとしている。

三

人生とは何んぞやという事は、かつて哲学史上の主題であった。そしてそれに対する種々の解答が、いわゆる大哲学者等によって提出された。

しかし、人生は決して、予め定められた、すなわちちゃんと出来あがった一冊の本ではない。各人がそこへ一字一字書いて行く、白紙の本だ。人間が生きて行くその事がすなわち人生なのだ。

労働運動とは何んぞや、という問題にしても、やはり同じ事だ。労働問題は労働者にとっての人生問題だ。労働者は、労働問題というこの白紙の大きな本の中に、その運動によって、一字一字、一行一行、一枚一枚ずつ書き入れて行くのだ。

観念や理想は、それ自身が既に、一つの大きな力である、光りである。しかしその力や光りも、自分で築きあげて来た現実の地上から離れれば離れる程、それだけ弱まって行く。すなわちその力や光りは、その本当の強さを保つためには、自分で一字一字、一行一行ずつ書いて来た文字そのものから放たれるものでなければならない。

労働者がその建設しようとする将来社会についての観念、理想についても、やはり同じ事だ。

無政府主義や、社会民主主義や、センディカリスムや、またはギルド社会主義等の、将来社会についての観念や理想は、あるいはヨーロッパやアメリカの労働者自身が築きあげて来た力や光りであるかも知れない。彼等はその力と光りとの下に進むがいい。しかしその観念や理想は、日本の労働者が今日まで築きあげて来た現実とは、まだだいぶ距離がある。

僕等はやはり、僕等自身の気質と周囲の状況とに応じて、僕等の現実を高める事に努力しつつ、それによって僕等相応の観念と理想とを求める外はないのだ。

そしてそこに、僕等のいわゆる、信者の如くに行動しつつ、懐疑者の如くに思索する、という標言が出て来るのだ。

『労働運動』第一次第六号、一九二〇年六月一日

組合帝国主義

多分去年の事だ。第三インターナショナルの大会で協同戦線の決議が通過した。長い間の深い確執を持った、各国の社会主義団体及び諸労働団体が相提携して、その共通の敵である資本家階級に対して協同の戦線を敷こうというのだ。そしてこの決議に基づいて、各国の共産党は直ちにそのいわゆる協同戦線運動を始めた。

僕は最初からこの運動は眉唾《まゆつば》ものだと睨《にら》んだ。協同戦線はいい。が、この綺麗な花の下に恐ろしい刺があるんじゃないかと思った。共産主義の根本原則であるいわゆる無産階級の独裁ですらが既にそうなんだ。共産党の独裁が、数百もしくは数千のその首領等の独裁が、秘密警察の独裁が、何《な》んで無産階級の独裁なんだ。ロシアででも既にこの〔無産階級の〕独裁の虚偽を見破る労働者が続々と出て来た。

それに、共産党が今それに向って協同戦線を要求しているところの、他の社会主義団体諸派及び労働団体諸派に対する態度はどんなものだったのか。彼等はまるでそれを資本家と同じ程度の、もしくは資本家を倒す前にまず倒してしまわなければならない、その仇敵《きゅうてき》としていたんじゃないか。そしてそれらの諸団体の中からの共産党分子の分裂を強行して来たんじゃないか。それが急に協同戦線論に豹変したんだ。そこには、どうしたって、何《な》にかの魂胆がかくれていなければならない。

ところが、共産党随一の大馬鹿正直者レオン・トロッキーは、この魂胆をちゃんと白状してくれた。ロシア革命に続いて直ぐさま世界革命が成就するだろうというロシア共産党の夢は破れた。そこで彼等は、内ではいわゆる資本主義への降伏である新経済政策でもって革命の中休みをしながら、外ではこの協同戦線でもってゆっくりとその夢の実現を謀《はか》ろうとしたのだ。

革命を夢みるのはいい。またその実現を謀るのもいい。が、彼等には、そこに、「共産党の指導の下に」とか、「指揮の下に」とかいう条件がひっついている。そうでないものは革命ではないのだ。反革命なのだ。

トロッキーはその「協同戦線論」の冒頭にまずいう。「共産党の任務は無産階級の革命を指導するにある。そして、それを実現させるためには、共産党はまず無産階級の圧倒的多数者の支持を得なければならない。が、かくの如き多数者をその指揮の下に持つようになるまでは、その多数者を惹《ひ》きつける事のために闘わなければならない。」

日本の自覚した労働者には実に異様に響く「指導」とか「指揮」とかいう言葉が、ちょうど日本のブルジョワの政治家共の口から出るのと同じように、共産党の首領に平気で使われているんだ。

トロツキーはなお続けていう。「この準備の時代の間にも、無産階級の階級闘争が止まない事はもちろんだ。雇人と資本家と政府とのいろんな衝突が、或《あるい》は労働者により或はその敵によって発起されて、起る。労働者の大衆は協同の運動の必要を感ずる。それが資本家の攻撃に対する防禦《ぼうぎょ》の一致であっても、またその敵を攻撃するための一致であっても、要するにその闘いが労働階級全体としての、或はその大多数の、或はその一部分の、生命に関する問題に触れまたはそれに影響する程度のいかんによって、その一致の必要を感ずる。」

しかし、共産党の協同戦線論は、それが労働者の必要だからというよりも、むしろそれに反対すれば労働者に棄てられるからという消極的理由と、労働者のこの必要を利用してその指導権を握ろうという積極的理由とに基づくものなのだ。それはトロツキーが協同戦線に対する共産党の態度を論じた、その直ぐ次ぎの章で明らかだ。

トロツキーに拠《よ》れば、共産党がまだ微々たる少数者の団体に過ぎない国では、協同戦線の問題なぞはどうでもいいのだ。「何故なら、その国の大衆運動は、その有力な伝統のお蔭で今なお決定的役割を勤めている古い団体によって、指揮されまた指導される。」また、それと反対に、共産党が既に労働者の唯一の指導的団体である国でも、やはり同じ事だ。「そこでももう協同戦線の問題はあり得ない。」「何故なら、共産党はもうその目的の指導権を握っているからだ。そしてそれが重大な問題になるのは、ただ共産党が既に大政治団体の域に達して、しかもまだ決定的要素とはなり得ずにいる国に」だ。

日本はトロツキーが挙げたこの三つの場合の第一の国に当る。が、日本の共産主義者は、「そこでは協同戦線は大した問題ではない」なぞという呑気な事はいわなかった。彼等は早くから友愛会に目をつけて、この「決定的役割を勤めている古い団体」と窃《ひそ》かに結びつく事によって、日本の大衆運動における友愛会の指導権とともに、それを通じての彼等自身の指導権をも獲得しようとした。

協同戦線は、いうまでもなく、階級闘争の上の労働者の必要だ。最近日本の労働者の間に起った協同戦線の計画、すなわち全国労働組合総連合の問題は、さきにいった第三インターナショナルの決議とは独立して、またその決議に基づいたヨーロッパ諸国での協同戦線運動とも全く独立して、日本の労働者がその資本家や官憲との難戦苦闘の長い間に痛感して来た必要から生れたものなのだ。

そして僕は、それが本当にこの必要から生れたものであれば、そこに余りに多くの魂胆と術策とが混りさえしなければ、ほんの少々の誠意だけで十分成就する見込みがあると思った。が、友愛会は、実は、一種の共産党だったのだ。そして本物の共産党がその尻押しをして、既にもう少なくはなかったその魂胆と術策とをいやが上にも多くしていたのだ。そしてそのためについに一切をぶち毀《こわ》す事に終ってしまった。

この協同戦線の破壊については、友愛会は既に前科者なのだ。

一昨年の五月一日祭以来、友愛会と東京市内の他の七組合とが、「組織なき労働者に組織を与え、既設組合の連合提携を促進する」という目的の下に、労働組合同盟を組織した。そしてこの同盟は、その標榜した目的の上ではたいした効果もなかったようだが、その同盟の成立を促した必要の協同戦線の上には随分役立ったものだった。

しかるにその翌年の五月一日祭の直《す》ぐあとで、友愛会は突然その脱退を申出た。その理由は「来るべき友愛会大会の準備として友愛会東京連合会所属各支部組合を整理する必要があるから」というのだ。が、もちろんそれは出たらめの理由だ。友愛会、ことにその東京連台会の幹部等は、組合同盟会の存在によって自然に連合会が無視され、また友愛会の傘下に他の一切の組合を包容して自らその指導的地位に立とうとした野望が空しくなった事を見たのだ。そして

「社会主義を奉ずる過激狂燥な団体とは絶対に提携して行く事が出来ない」というような声明をした上で、今いったような訳の分らない表面上の理由を持って来たのだ。

友愛会の組合帝国主義的野心は、そしてその他の労働団体に対する無誠意は、この同盟脱退によって極めて明白にされた。

そしてまた、その後東京における鉄工連合問題に対する友愛会東京鉄工組合の態度、及び大阪における労働組合同盟会に対する友愛会大阪連合会の態度も、やはりその野心と無誠意とを赤裸々にして、自ら進んで協同戦線を破裂させたのであった。

この協同戦線破壊の常習犯である友愛会が、本年、三度目の五月一日祭の後に、「名実相伴った労働組合の全国的総連合を組織するためには、日本労働総同盟の解体をも辞せない」という友愛会関西労働同盟会の決議に基づいて協同戦線の運動を始めたのだ。さきに一ぱいも二はいも食った非友愛会側の労働者として、誰《だ》れか眉唾物だと思わなかったものがあろう。

が、非友愛会側の労働者は割合に正直だった。そんな眉唾物に対してはきっと相手にすまいと、僕などは思っていたのだが、しかし協同戦線の必要はそんな過去の事にいつまでもかかずらって置かせなかったのだ。彼等の間にも、友愛会関西労働同盟の決議と前後して、やはりこの全国労働組合〔連合〕の議が打ちあがっていた。そして友愛会の「解体をも辞せず」という誠意のあるらしい言葉に励まされて、ますますその議を進めて行った。

しかし正直者の彼等にも、さきに幾度も煮湯を呑《の》まされた後味はまだ残っていた。「名実相伴う」という言葉の内容に多少の疑いを挟んでいた。それが、友愛会流の中央集権的合同、その首領等の指揮指導の下における合同を意味していやしないか、例の組合帝国主義を含んでいやしないか、という疑いを持っていた。

そこで、非友愛会側労働者の急先鋒である印刷工組合信友会と新聞工組合正進会との有志は、一方に総連合の促進に極力努力しつつ、他方にその連合は各組合の自主自治を重んずる自由連合でなければならないという宣伝を始めた。そして『労働組合全国的総連合について、階級闘争の戦士たる全国組合労働者諸君に告ぐ』という小冊子を発表した。

「労働組合は、我々労働者が資本家と闘うための機関だ。けれども、××××××××××××××××××××××××××××××××××　××××××××××××××　××××××××××××××××××××。しかしながら、もし労働者の中に、他の労働者を自分の利益のために犠牲とするところの資本家的精神や、権力で人を支配しようとする支配階級的精神から脱却していなければ、よし今直ぐに資本家を倒す事が出来ても、それは丁度、明治維新に徳川の天下が薩長閥の天下になったのと同じ事だ。

もし労働組合の全国的総連合を企てた各労働組合の人々の中で、何か利己的の野心を持っていたりまた利己的の野心でこれを妨げようとするものがあったならば、それは労働者の皮を被った資本主義者として、まず第一に排斥しなければならない。

友愛会は、二、三年前に日本労働総同盟と改称したが、名称通りに各労働組合をその傘下に統一しようとする運動は、多くの労働組合が自主的に組織されて発達して来た今日では、もう行きづまって発展の見込みがなくなった。そしてこの場合、友愛会が『解体を辞せず』とまでいって運動を起した、名実相伴う全国的総連合の計画が、今の友愛会をただ大きくすると同様のものを組織しようというのならば、随分さきの見えない愚なやり方だ。

合同か連合か、中央集権か自由連合か、一体どんな組織が一番いいかといえば、もちろんいろいろの方法はあるだろうが、大体は最高の機関をこしらえて他はすべてその指揮命令に従おうとする中央集権的に合同した一大組合と、各組合から代表者を出して共通の問題を協議して解決しようとする自由連合との二つに分けられると思う。

そこで今の労働組合がそれぞれ自主的に組織されているとすれば、いかに少数の野心家や他に目的を持っている人達が希望したところで、中央集権的合同は不可能と見る外はない。無理に形式だけ中央集権にして見たところで、事実上何の実力もない今の労働組合のいわゆる幹部に、これが実行される訳のものでない。それを強いて行うためには必ず軍隊か警察かさもなければ金の力が必要になる。

こういう組織を主張する人達は、権力で人を支配する事を悪いと思わない人達で、ちょうど金の力で人を支配する事を悪いと思わない資本家同様だ。

しからば我々は何を欲するかというに、今、方々に分れている職業的または産業的の労働組合が、労働者の実際の必要から連合するのならば、まず同じ地方で同じ産業に従事しているものから始めるのが自然で、またそれが一番強い連台体の単位になる。その地方的の同一産業の組合連合が幾つも集まって地方的の大連合をする。一方には同一産業組合が更に全国的に連合する。それらのすべてが集って始めて労働組合の全国的総連合というものになる。そして共通の問題は進んで一致協力して解決に努め、単独の問題は自身で解決する覚悟と力とを持つ組合の自由連合の組織こそ、真に我々の望むところのものだ。

我々は我々の理想する社会の芽生えをまず我々自身の中に造って行く事が何よりも必要だ。」

その間に、共産主義者と無政府主義者との、労働組合外からの宣伝が始まった。友愛会の大部分は共産主義者に共鳴した。非友愛会の大部分は無政府主義者に共鳴した。ことに友愛会は、その組合帝国主義の野望に共産主義の中央集権的理論を着せられて、ほとんど傍若無人の振舞をする力を得た。

友愛会はその「解体をも辞せず」といった事なぞは夢にも知らないような顔つきをしだした。そしてその「名実相伴う」を、果して非友愛会側の疑い通りに、中央集権の意味に持ちだした。

僕はもう非友愛会の労働者がこの連合の問題に努力するのは無駄だと思った。そしてもう彼等が潔《いさ》ぎよく手を引いて、彼等自身が事実の上で始めていた産業的連合及び地方的連合の問題に全力を尽す事かと思った。が、彼等はやはり、僕の思ったよりも正直者だった。彼等はまだ総連合の可能を信じていた。その必要と彼等の誠意とが友愛会側を動かせるものと信じていた。そして彼等は喜び勇んで、月末の給料日前に無理算段をして、続々として大会地の大阪へ出かけて行った。

が、果して大会はこの中央集権的合同か自由連合かの問題で決裂してしまった。

友愛会側は、その中央集権という言葉にさすがに多少の後めたさを感じたのか、それに民主的という言葉を冠せて見たり、また戦闘力の集中などというまるで違った言葉を持って来たりしていたが、その精神は要するに中央集権だ。組合帝国主義だ。共産主義者等のいわゆる独裁だ。

大会の決裂後、友愛会側と非友愛会側とは、各々その態度についての宣言書を発表した。

友愛会側はいう。

「我等は、もちろん、組合幹部の専制独裁は断乎として排斥する。しかしながら、組合最大の使命が堅牢なる資本主義の牙城を屠《ほふ》る事にある事を思えば、まず組合の戦闘力の集中に全力を注ぐと同時に、一方には幹部独裁の弊を生ぜざるような施設を考慮すべきが至当である。組合の戦闘力を考えずして、徒らに個々の組合の自主権の尊重に汲々たる組合同盟会の態度の如きは、労働運動者として現実的闘争の職責を忘れ、空漠なる思想中毒に堕したものといわなければならぬ。各組合が緊密なる合同を為さずして、各々自由な立場に立って自由に連合し、しかして各組合の自由意志が自由に綜合されて、それが強大なる戦闘力を生む日を待つとすれば、暴虐なる資本主義は恐らくは永久に枕を高くして安眠を貪るであろう。」

非友愛会側はそれに答えていう。

「総同盟側の人々のいう所は、『資本主義が中央集権の組織である以上、それに対抗して闘う労働者の組織もまた、当然中央集権でなければならない。しかし我々の主張する中央集権は資本主義者のいう中央集権とは異なって、労働者の意志を代表するところの民主的中央集権だ。それは権力を集中するという意味ではなく、戦闘力を集中するという意味であって、我々はこの戦闘力の集中を最も必要とするのだ』というのがその『合同』を主張する論点らしい。

しかしながら、それは明らかに詭弁《きべん》だ。中央集権といい、自由連合というのは、いずれも我々労働者が戦闘力を強大にするために造る組織の方法、形式の問題で、要はいかなる組織が我々労働者の戦闘力を強大にする事が出来るか、いかなる組織が我々労働者の戦闘力を奮起させる事が出来るか、という事にあるのだ。戦闘力を強大にするという事と、戦闘力を集中するという事とは、ほとんど意味が違うのであるが、仮りに戦闘力を集中するという事が誰れしも望むところであるとしても、総連合の主要な問題は、いかなる方法によって団結すれば最もよく戦闘力を集中する事が出来るかにあるのだ。その方法として我々は自由連合を主張し、彼方は中央集権的合同を主張するのだ。

資本主義が中央集権的組織である事は事実だ。しかしながら我々は、単に賃金値上、待遇改善のみ欲して自主自治を叫ぶものではない。我々がそれよりも更に必要とするものは、労働者が常に感ずるように、職長、組長、或はそれ以上の権力者に監視されたるところの束縛をのがれて、いかなるところにおいても真の人間として行動したいという欲求を土台に、我々の運動を進めて行きたいのだ。

真の労働者が、他人の束縛を欲しない気持を、心のドン底に持っている以上、いかなる労働運動も、この気持を土台にしなければならない。労働者は理屈によっても集まるだろうが、それよりも更に気持を以て集まる事が一層力強い事を知っているのだ。」

議論としては、どっちも、その階級闘争の現実の上に立った議論だ。友愛会はその友愛会としての経験の上に。そして非友愛会はその非友愛会としての経験の上に。が、まだ議論の余地はまだだいぶ残っている。というよりもむしろまだ漸《ようや》くその緒についただけの事だ。ことに友愛会側としては、非友愛会側の主張に対して、まだ無理解の点が余程多い。

僕は労働団体のこの二派の主張がどこまで発展して行くかについて非常な興味を持つものだ。そして、それよりもまだ、この二派の主張が実際において果してどっちが戦闘力の強大を齎《もた》らすかについて、またどっちが新社会建設の本当の方法になるかについて、非常な興味を持つものだ。

また、これは労働者ばかりの問題ではない。中央集権か自由連合かについては、強権か自由かに〔ついては、(三十字削除) 吾々《われわれ》はその二つのどちらか一つを選ばなければならないのだ。マルクスの流行に続いてのクロポトキンのすばらしい流行を経た日本の思想界は、その流行を無駄にしないためには、是非ともきめておかなければなら〕ない問題なのだ。この問題に触れない社会改造の議論は、要するにただ議論の遊びだ。

友愛会は、大会決裂とともに非友愛会に対するほとんど絶対的絶縁の宣言をした。が、非友愛会側は、その宣言の最後を、「しかしながら我々の正面の敵は資本家である。いかに職業的運動者が自己の立場を維持する必要上我々を敵視しようとも、もし共通の問題で同一歩調を執る事の必要を感じた場合には、将来の希望なぞを条件とせず一致の行動を執るだけの雅量のある事を茲《ここ》に声明する」と結んだ。

組合帝国主義

『改造』一一月号、一九二二年一一月一日

ロシア革命論

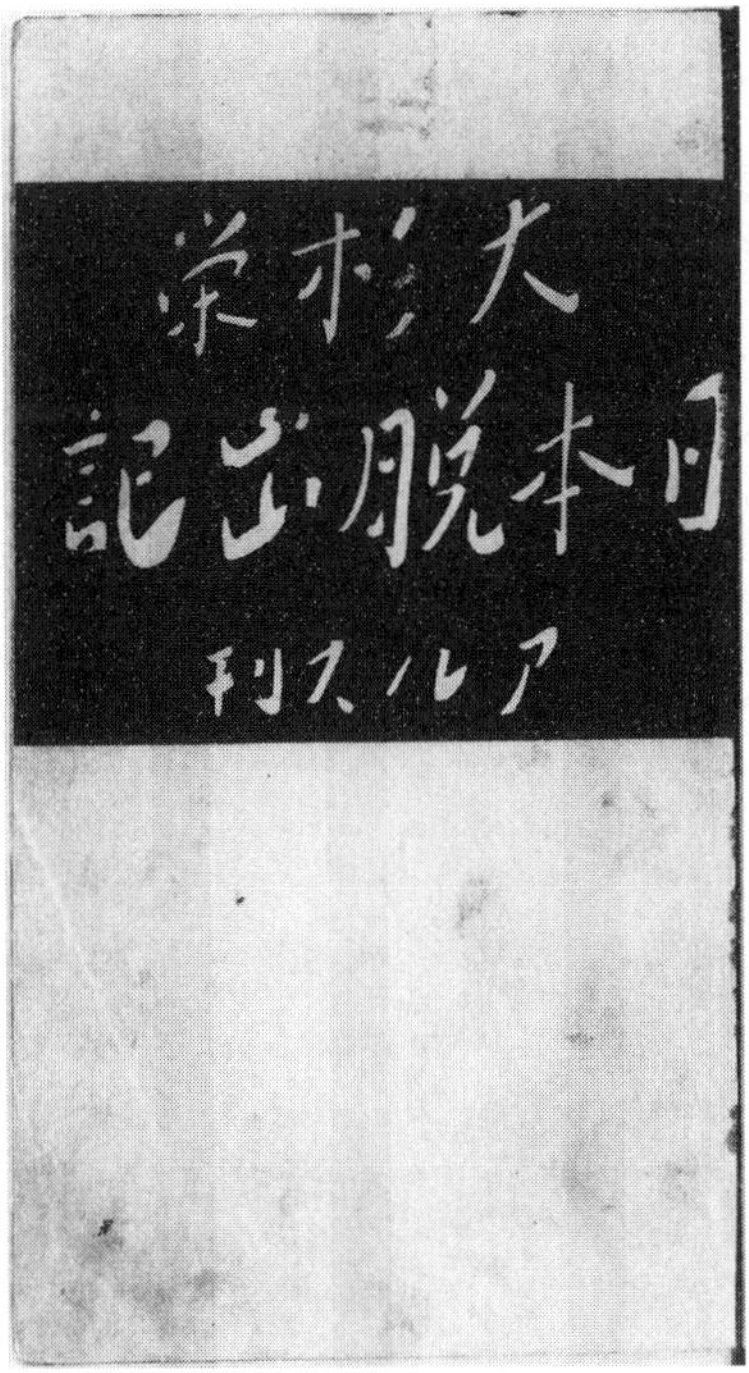

大正12（1923）年に刊行された『日本脱出記』（アルス）

無政府主義将軍

ネストル・マフノ

一

ヨーロッパへ行ったらまず第一に調べて見たいと思っていたプログラムの中に、無政府主義将軍というちょっと皮肉なあだ名をとったネストル・マフノの、いわゆるマフノウィチナ（マフノ運動）の問題があった。

ロシア革命が産んだいろんな出来事の中で、僕が一番心を動かされたのは、このマフノウィチナであった。そしてこの運動の研究こそ、ロシア革命が僕等に与える事の出来る、一番大きな教訓を齎《もた》らすものじゃあるまいかと思った。

僕のごく短かかったフランス滞在中の仕事は、ほとんどこの問題の材料を集める事に集中された。ヨーロッパの新聞や雑誌や書物に発表された、信ずるに足るだけの数十の報道や論評はまず全部手に入れた。が、ロシアの事は、ヨーロッパででも、ソヴィエト政府の官報や半官報の記載以外にはまだ半暗だ。従って、ことにこのマフノウィチナのようなソヴィエト政府にとっての最も危険な民衆運動については、その細かい事になるとまるで黒暗《こくあん》だ。あるだけの材料を集めたところで実に不満足極まるものだ。

そして僕が一番残念だったのは、僕がドイツにはいる事が出来なかったために、このマフノ運動に参加して今はベルリンに亡命している多くの人々、ことにマフノの総参謀とまでいわれたヴォーリンに合う事の出来なかった事だ。ヴォーリン自身、及び在ベルリン亡命ロシア無政府主義団は、既に屢々《しばしば》マフノウィチナについての報道をしている。しかしその運動の全体や詳細については、大きな一巻の書物になるだろうといって、今まだ約束だけである。

従って、僕にはまだ、この問題に対する確乎たる断案はない。ただ多少の暗示があるだけだ。そしてその暗示は、僕がこの問題を少しでも深く知れば知るだけ、ますます強くなって行く。ロシア革命が僕等に与える事の出来る一番大きな教訓を、予期した通りに、この問題の中に見出して行く。

××××××××××××××××××××××××××××××××××

××××××××××××××××××××××××××××××。

無政府主義者の一団がいわゆる選民となって、その理想する新社会を、いわゆる衆愚である民衆に強制しようとするのではない。社会革命の一切の過程を予定し限定して、その通りを民衆に強課しようとするのではない。

一切を民衆自身の自由に創造力に任せようというのだ。××。

×××クロポトキンはその名著『相互扶助論』の中にそれを詳説した。

そして僕等は今、ロシア革命の民衆史の中に、この重大な事実の繰返された事を見出したのだ。マフノウィチナとは、要するに、ロシア革命を僕等のいう本当の意味の社会革命に導こうとした。ウクライナの農民の本能的な運動である。マフノウィチナは、極力反革命軍や外国の侵入軍と戦ってロシア革命そのものを防護しつつ、同時にまた民衆の上に或る革命綱領を強制するいわゆる革命政府とも、戦って、飽《あ》くまでも民衆自身の創造的運動でなければならない社会革命そのものをも防護しようとした。マフノウィチナは、全く自主自治な自由ソヴィエトの平和な組織者であるとともに、その自由を侵そうとするあらゆる敵に対する勇敢なパルティザンであった。そして無政府主義者ネストル・マフノはこのマフノウィチナの最も有力な代表者であったのだ。

二

ロシアの民衆は、その革命によって、まずツァーの虐政と地主や資本家の掠奪とから遁《のが》れ出た。しかしこの旧主人からの解放は、革命のただの第一歩というよりもむしろ、その下準備に過ぎない。×××××××××××××××××××××××××××××××。

が、旧主人が倒れるか倒れないうちに、既にもう新主人の自選候補者共が群がり集まって来た。火事場泥棒の山師共の群れが、胡麻の蠅共が、四方八方から民衆の上に迫《せ》まって来た。権力を追うあらゆる傾向、あらゆる色合の政治狂共が各々民衆の上に自己の党派の覇権を握ろうとして来た。皆《み》んな出来るだけ革命的な言葉を用意した。民衆の自由や幸福のためと称して、民衆対主人の内乱の中にはいって来た。

しかし山師共の本当の目的はこの民衆対主人の内乱ではない。新主人の席の奪い合いなのだ。民衆対主人の内乱を新主人共の間の内乱に堕落さす事なのだ。彼等の求めるところはただ、自分の党派の独裁、すなわち民衆の上の権力の独占にあるのだ。

かくしてこの山師共は、各々、武器を手にして、あらゆる手段を尽して、彼等自身の目的のために民衆を利用しつつ、更に彼等自身のいわゆる革命綱領を民衆に強制しようとした。しかもその革命綱領なるものは、山師共の群れによってそれぞれ相異なるのだが、それが民衆の本能と自由とに相反している事には皆同じだ。本当の社会革命に背く反革命的綱領である事には皆同じだ。どの党派も、皆、民衆の運動を自分の党派の狭い規律の中におしこめて、民衆の革命的精神とその直接行動とを絞め殺そうとする。

或者《ある》は民主主義の名のもとに、或者は社会主義の名のもとに、或者は共産主義の名のもとに、或者は民族自決主義の名のもとに、或者は帝政復興の名のもとに、或者はまたこれらのあらゆる牛馬共を同じ一つの秣槽《まぐさおけ》の中に集めるという名のもとに、いずれも皆な掠奪者から被掠奪者を解放するのだと広言しつつ、容赦なく民衆を圧迫し、動員し、劫掠《ごうりゃく》し、攻撃し、銃殺し、また村落を焼き払う。そしてついに、この強盗放火殺人の犯罪人共の中で一番狡猾でそして一番兇暴な奴等がクレムリンの玉座に坐りこんで、無産階級の独裁の名のもとに、一たん解放された労働者や農民を再びまた前にも増した奴隷状態に、蹴落して、完全にロシア革命を圧殺してしまった。

これがいわゆるロシア革命なのだ。ボルシェヴィキ革命なのだ。

けれどもこの強盗放火殺人の犯罪人共が、お互にまた民衆に対して、その兇行《きょうこう》を恣《ほし》いままにしている間に、ロシアの民衆はただそれに利用され、またそれを甘受していたのだろうか。決してそうではない。ロシアのあちこちで、この犯罪人共に対する民衆の自衛運動が組織された。ことに中央ロシアやシベリアやウクライナでは、民衆のこの自衛運動が革命的一揆の形となって現われた。そしてその最も強大な運動がマフノウィチナであったのだ。

由来ロシアの中心でも一番自由を愛するといわれていたウクライナの民衆は、一たん彼等が破り棄てた鎖を再びまた彼等にゆわいつけようとするところの、あらゆる国家主義的権威に反逆して立った。彼等は自由を求めたのだ。そして自己保存の本能と、革命の一切の獲得物を維持して行きたい熱望と、どんな権力にも対する憎しみと蔑《さげす》みとが、彼等を駆ってこの反権威的闘争に、無政府主義的闘争に走らしめたのだ。

しかもウクライナの民衆のこの革命的運動は、後に無政府主義者ネストル・マフノの名をその頭にかぶらせられてはいるが、実際はこのマフノ自身が数名の同志とともに始めてドイツやオーストリアの侵略軍を襲うた以前に、既にあちこちで、スコロパドスキーやペトリューラの反革命軍に対する武力的抵抗を試みていたのだ。そしてこの運動はまた、ウクライナの各地で、相期せずしてほとんど同時に勃発したのだ。

されば無政府主義者のマフノがこのマフノウィチナを創《はじ》めたのではなく、ウクライナの民衆の本能的自衛に基づく革命的一揆運動がマフノを駆り出さしたのに過ぎない。そしてマフノの革命家的性格とその無政府主義思想とが、この運動の性質とぴったりと合致して、彼をしてその中の最も傑出した人物にまで造りあげたのに過ぎない。

しかし文字で書かれた歴史の習慣から、僕には今、このマフノという一人物を中心といたしたマフノウィチナを描くほかの材料がない。

三

マフノはまだことし三十三の一青年だ。

彼はウクライナのエカテリノスラヴ県グライポライ村の一土百姓の家に生れた。そして七つの時からその村の農民の羊や牛の番人として働き、その後あちこちの地主の村地やドイツ人の植民村なぞで小作人として働いた。で、その受けた教育というのもほんの初等教育だけで、しかもその村の小学校にたった一年通ったに過ぎない。

一九〇六年、十七の時に、無政府主義運動に加わり、その翌年無政府主義テロリストとしてグライポライ村の一憲兵と数名の警察官とを暗殺し、捕えられて死刑の宣告を受けたが、未成年のために終身懲役に減刑された。そして爾来《じらい》一九一七年三月一日まで、すなわちロシア革命が一切の政治犯人を釈放した日まで、徒刑場につながれていた。この獄中生活の間に、彼れは非常な熱心で独学自習して、歴史や自然科学や政治学や文学を学んだ。

釈放されると直ぐその郷里に帰って、地方ソヴィエトや労働組合を組織して、村の農民や労働者の間に働いた。そしてその年の夏には、地主からその土地を奪いとる農民の革命的運動の中心となった。

一九一八年の春、ドイツ軍とオーストリア軍とがウクライナを占領した時、彼れは六人の同志と一緒に、武器をとってそれと戦いながら、タガンログやロストウやツァリスティンの各地を走り回った。

そしてその年の六月、窃《ひそ》かにまたグライポライにはいり込んで、そこにはパルティザン軍を組織して、スコロパドスキーの反革命軍やドイツ軍やオーストリア軍を悩ました。この外国軍は、例のブレスト・リトウスクのボルシェヴィキ政府との条約のもとに、ウクライナに軍政を布《し》いていたのだ。

このパルティザン軍は、かくして反革命軍や外国軍と頑強に戦いながら、また猛烈に地主等とも戦った。そして瞬く間に、地主共の数百の家を襲い、また数千の敵軍を倒した。マフノの大胆不敵と、その神出鬼没の行動と、その軍略的才能とは、敵軍に非常な恐れと憎しみとを加えるとともに、ウクライナの民衆には非常な喜びと力とを与えた。

マフノ軍のこの先例と成功とは更に各地に小パルティザン軍を繰出《くりだ》させて、僅《わず》か七人の小団体から出発したものがその年の暮れにはもう四、五千人の大軍隊となった。そしてマフノはその総大将と仰がれて、ウクライナ南部一帯の反逆農民をそのもとに集めた。

ドイツ、オーストリアの侵入軍はこのパルティザン軍に破られ、スコロパドスキーの反革命軍も倒されてしまった。またそれに代って起ったペトリューラの反革命軍も直ぐさま圧しつぶされてしまった。そしてマフノは更に大敵デニキンの反革命軍と戦わなければならなくなった。

このデニキン軍との戦いには、戦線が百ヴェルスト余りにひろがった。そしてマフノはその全戦線に亘《わた》って、あらゆる機会を捕えて、農民と労働者との地方的自治を説き、その自由ソヴィエトが各自独立してその経済的及び社会的生活を自ら組織する事を勧めた。

マフノのこの宣伝はマフノ軍の戦線の到る処に採用されて、それがウクライナの農民と労働者との大衆の一大運動となった。マフノはそれらの農民労働者からバティコ・マフノ（父マフノ）と呼ばれ、マフノ自身もまた自ら屢々この名を用いた。そして民衆のこの大運動はマフノウィチナの名によってウクライナ以外にまでも知られ始めた。

マフノウィチナの行われるところへは、まず各村に、自由に選挙されるソヴィエトが組織された。そしてこのソヴィエトがその村の一切の生活を決定した。地主の土地は収用されて農民の間に分配された。農民は或は一人一人に或は共同にその土地を耕した。

ドン河付近にいるコザック兵がこの農民の生活を妨げそうな勢になると、マフノウィチナの村々は大会を開いて、各村から若干名ずつのパルティザンを動員する。動員された農民はマフノ軍のもとに集まる。そしてその危険が過ぎると、また村に帰ってその平和な仕事につく。

かくしてマフノ軍の大部分は農民によって組織され、その糧食は農村から支給された。

ボルシェヴィキ政府は最初からこのマフノウィチナに心よくなかった。マフノもまた、反革命軍や外国軍と戦いながら、同じようにそれと戦っているボルシェヴィキ政府とは最初は協力しなかった。

けれどもデニキン軍の脅威がますますはなはだしくなった一九一九年二月に、マフノはその時始めてウクライナにはいって来たボルシェヴィキの赤軍と相結んだ。そして共同の敵であるデニキン軍と戦うために、今までも続けて来た南方の戦線を受持つ事となった。が、モスクワ政府はかくしてマフノ軍に協力を乞いながらも、その条件である軍需品の供給はいつも極めて厳密な必要だけに限った。

そしてグリゴリエフがボルシェヴィキ政府に反逆した時、モスクワのマフノに対する不安がますます大きくなった。グリゴリエフはもとペトリューラの一首将であったのだが、ペトリューラ軍の壊滅の際にその手兵と武器とを携えてボルシェヴィキ軍に投じた。そしてモスクワ政府からルーマニアの戦線につく事を命ぜられて、それに応じないで反革命の旗をあげたのであった。モスクワはマフノ軍とグリゴリエフ軍との接近を恐れたのだ。このグリゴリエフに対するマフノの態度については、あとで話しする機会があるだろう。

それればかりではない。マフノはモスクワとの共同戦線に従いながら、社会革命についてのその思想は少しも変えなかった。××××××××××××××××××××××。

マフノウィチナ農村は依然としてその歩み始めた道を続けて行った。その民衆は労農階級の社会的独立の原則の上に立って、モスクワ政府が派遣したその代表者の権威を少しも認めなかった。彼等は彼等自身が組織した機関のほかの何物にも責任を持たなかった。彼等には彼等自身の地方ソヴィエトがあり、数県に亘る全地方の革命軍事委員会があり、またソヴィエト連合の大会もあった。現に彼等がその独立を始めて以来、一九一九年一月、二月、四月の三たびこの大会が催された。

モスクワ政府は民衆のこの自主自治を許す事が出来なかった。「労働者の解放は労働者自身の仕事でなければならない」というマルクスの言葉は、また「ソヴィエトに一切の権力を」というレーニンの言葉は、もともと国家主義のマルクシズムの真赤な嘘なのだ。マルクシズムは民衆が自分で自分の運命を創って行く事を決して許すものではない。

四

一九一九年五月五日、共和国防禦委員会特別使節カメネフがハルコフ州の数名の政府代表者を従えて、マフノウィチナの中心地グウライ・ポリエ村に到着した。そして直ちにそこのソヴィエト連合の解散を要求した。マフノもソヴィエトの委員等もまた多くの農村の代表者等も、かくの如き要求は革命労働者の権利侵害であるとして、それをカメネフ等と討議する事すらも斥《しりぞ》けた。

ソヴィエト連合の執行委員会は、この重大事を議するために、ことにまたその頃始まりかけた、デニキン軍の総攻撃に備えるために、六月十五日を期して全労働農民の特別大会を開く事にきめた。

デニキン軍はイギリスやフランスの連合軍から多くの武器弾薬タンク等を支給されて、新たに大攻勢をとって来た。マフノ軍は弾薬に欠乏していた。マフノはそれをモスクワ政府に要求していたのだ。が、モスクワからは何《な》んの返事もなかった。そして赤軍はウクライナを白軍の蹂躙《じゅうりん》するままに任しておいた。

マフノ軍はほとんど危地に陥ったのだ。そしてモスクワ政府は、それに乗じて、トロツキーの名によってマフノ及びマフノウィイチナ全体に戦いを挑んだ。

かくしてマフノ軍は白軍と赤軍との挟撃を受けて、西方に戦いを交えつつガリシア方面にまで退却した。そして数千の農民家族はその財産と牛馬とを携えて、マフノ軍のあとに従った。この大移住軍は、九百ヴェルスト余りの戦線の間にほとんど絶望的の不断の戦闘を続けつつ、四ケ月の間さまよい歩いた。

その間にデニキン軍はオレルまで進んで行って、モスクワをまでも脅やかそうとした。が、九月二十六日、マフノ軍はそのあとを追うて来たデニキン軍とペレゴノフカ村に一大決戦を試みて、ついにその砲兵主力を屠り、前衛隊を皆殺しにして、その本隊をして手も足も出す事の出来ないようにしてしまった。

マフノはまたその間に、さきにいったボルシェヴィキ軍の裏切者グリゴリエフ将軍をも倒してしまった。

当時グリゴリエフは一万人内外の軍隊を率いて、アレキサンドリア、スナメンカ、エリザエトグラトのウクライナ諸都市を占領し、更にエカテリノスラヴを脅《おびやか》していた。そして彼れはその勢をもって更にマフノと結びつこうとした。

一九一九年七月、アレキサンドリアに近いセントヴォ村で、革命的パルティザンの大会が開かれた。マフノはグリゴリエフをこの大会に招いた。そしてその席上、彼れの反革命的罪悪をあばいて、ピストルの一撃のもとに彼れを殺してしまった。


かくして一九一九年六月から一九二〇年一月までに、マフノ軍はウクライナのデニキン軍を全く独力で打ち破ってしまった。

するとボルシェヴィキ軍は再びのこのことウクライナにはいって来て、またもやマフノ及びマフノ軍に戦いを挑んだ。

しかしその間に、更にまた反革命のポーランド軍とウランゲル軍とが起ちあがった。そして再びまたマフノ軍は白軍と赤軍との間に挟まって、一九二〇年九月、赤軍との協約を余儀なくされた。

ボルシェヴィキ軍は到る処でウランゲル軍に打ち負かされて、メリトポル、アレキサンドロフスク、ベルデーアンスク、シニエルニコヴォ等の諸都市を占領され、ドネツ河畔の全石炭鉱区を脅かされるまでに至った。その結果マフノの黒軍に和睦を申込んだのだ。

そしてモスクワ政府は、マフノ軍がその全力を尽してクリミヤの奥深くにまで転戦し、全くウランゲル軍を打ち破った時、三たびまたマフノに赤軍の大軍を向けた。

一九二一年の夏、マフノは数個師団の赤軍騎兵に取りかこまれてルーマニアの国境にまで追われ、ルーマニア政府のために武装解除されて投獄され、危くモスクワ政府に引渡されようとしたが、一九二二年の春ルーマニアを遁《のが》れ出て、こんどはポーランドの官憲に捕えられた。

マフノは今またポーランドの監獄にいる。ソヴィエト政府は、マフノを強盗殺人の刑事犯人として、幾たびかポーランド政府にその引渡しを迫った。が、その容れられそうもないのを見て、更に手をかえて、マフノの同志と称する一間諜を送って、マフノがポーランドに革命を起す陰謀を企てていたという嘘の密告をさせた。そして近くマフノはこのいわゆる陰謀罪の被告として裁判されようとしている。

五

かくの如くマフノ及びマフノウィチナのロシア革命における功績は実に偉大なものであった。ヨーロッパ・ロシアのほとんどあらゆる反革命軍と外国侵入軍とは大部分彼等の手で逐い払われた。彼等なしにはボルシェヴィキ政府の確立すらもほとんど考えられないくらいだ。

彼等ばかりではない。ロシアの多くの無政府主義者は或はボルシェヴィキと手を携え或は独立して革命の成功のために働いた。最も熱心にそしてまた最も勇敢に戦った。
（以下一七〇字削除）××××××××××××××××××××××
××××××××××××××××××××××××××××
×××××。

そして他の革命諸政党がいずれも新権力の樹立に汲々《きゅうきゅう》としている間に、ほとんど独り無政府主義者だけがこの民衆運動の中へはいって行った。地主から土地を資本家から工場を奪いとって、労働者自治の基礎の上に生産を組織しようとする運動の中にはいって行った。

また、一九一七年七月三日から五日の、クロンスタットやペトログラードの労働者と水兵との一揆にも、無政府主義者はその先頭になって進んで行った。このペトログラードやその他の諸都市で、資本家の印刷所を襲いとってそこで労働者の革命的新聞を発行する先例をつくった。そしてその年の夏、ブルジョワジーに対するボルシェヴィキの態度が諸政党の中で一番革命的になった時、無政府主義者はそれに味方して、レーニンやその他のボルシェヴィキ首領をドイツの手先だといって中傷したブルジョワ諸政府や社会主義諸政党の虚偽を曝露して、その革命家的義務を尽した。

更にその年の十月、連立政府を倒す時にも、無政府主義者はペトログラードやモスクワやその他の諸都市でいつも先頭になって戦った。ペトログラードでは、その最も重大な役目をしたのは、クロンスタットの水兵であった。そしてその中には多数の無政府主義者が最も活動的な分子として働いていたのだ。またモスクワでは、最も決定的なそして最も危険な役目を勤めたのは、かつてケレンスキー時代にドイツ、オーストリアの戦線につく事を拒絶して全部牢獄に投ぜられた事のある、あの有名な「ドヴィンスク」連隊であった。この連隊はクレムリンやメトロポールやその他の諸要地からカデット軍を逐い払うのに最も危険なあらゆる場所で戦った。そしてその兵士の全部は無政府主義者と名乗って、無政府主義の老革命家グラチョフとフェドトフとの指揮のもとに進んだのであった。モスクワの無政府主義連盟は、このドヴィンスク連隊の一部分に加わって、連立政府攻撃の先頭に立った。モスクワの諸区、ことにプレスニヤやソコルニキヤやサモスクヴォレチエの労働者等は、無政府主義者の一団を先頭にしてこの攻撃に加わった。そしてこれらの多くの戦いで、無政府主義はその幾百の最良の闘士を失った。

もちろん無政府主義者は、何等新権力の名のもとに、それらの戦闘に従ったのではない。ただ労働者の大衆が自らその経済的及び社会的の新生活を創める権利の名のもとに進んだのだ。そして十月革命後、いわゆる共産党の新権力が確立した時にも、その思想や方法の全く相反しているのにも拘《かか》わらず、彼等はまだ同じ熱心と同じ忍耐とでロシア革命のために働く事を続けた。

（以下一一三字削除）×××。

また無政府主義者は、マフノと同じように、反革命の攻撃に対してあらゆる戦線で戦った。一九一七年八月、コルニロフ将軍がペトログラードを襲った時にも、またその翌年カレディン将軍が南ロシアに兵を挙げた時にも、無政府主義者は極力それと奮戦した。

無政府主義者の組織した大小幾多のパルティザンが到る処で反革命軍を悩ました。デニキンやウラングルが北方の赤軍によって破られずに南方のパルティザン、マフノウィチナによって倒れた事は、さきにいった。無政府主義者はまた、ウラルやシベリアやその他の戦役で、コルチャクの反革命軍に対して同様に戦った。実際、これらの反革命軍に対して、正規軍である赤軍よりもパルティザン〔の方が遥かに有力であったのだ。そして〕数千の無政府主義者がこの革命擁護のためにその生命を失った。

六

しかるにロシアのこの無政府主義者等は、革命のためのその絶大な努力に対して何《な》にを報いられたか。

彼等の運命は、ほとんど皆マフノのそれと同じだ。彼等はただボルシェヴィキ政府確立の最も有力な道具となっただけだ。そしてその任務を終えたあとで、ちょうど野犬狩りでもされるように、ボルシェヴィキ政府の陰険極まるそしてまた残忍極まる手段で、或は殺戮され、或は追放され、或は投獄されている。

ボルシェヴィキのいわゆる革命委員会がモスクワに成立した時、モスクワ・ソヴィエトの管内にあるドヴィンスク連隊が、まずこの委員会の一番の邪魔物になった。連隊の主なる指導者等のまわりは無数のスパイが取りかこんだ。そしてその、幾重もの封鎖で彼等のあらゆる運動を妨げた。グラチョフはロシア革命を殺そうとするこの新権力の魔の手を防ぐために急いで民衆を武装させようとして、各工場に三つ四つずつの機関銃と若干の小銃と弾薬とを分配した。が、その間にグラチョフは軍事上の要務という名の下にニジニ・ノヴゴラドに呼びよせられて、そこでボルシェヴィキの回し者の一兵卒のために不意に銃殺された。続いてドヴィンスク連隊を始め、ペトログラードやモスクワの革命諸軍隊はすべて武装解除されてしまった。

その他無政府主義軍の有力な軍事的指導者で、このグラチョフと同じように、軍務の名のもとにボルシェヴィキ政府に呼び寄せられて、その途中で行衛不明になったり、行ったさきで捕縛されたり殺されたりしたものがいくつあるか知れない。

そして、一九一八年の春、ブレスト・リトウスクの条約が結ばれて、新政府の基礎が確立した時、ボルシェヴィキはいわゆるその無政府主義者狩りを公然と始めだした。そして新政府の暴政が到る処に農民や労働者の不満と反抗とに出会った時、政府は全力を尽して全国に亘るこの無政府主義者狩りを組織した。

無政府主義者は、いつでもそしてまたどこでも、この権力によって欺瞞《ぎまん》され圧迫されている民衆の味方だったのだ。彼等は労働者と一緒に、労働者自《みずか》ら生産を管理する権利を叫んだ。農民と一緒に、自治の権利と、都会の労働者との自由な直接の交渉を結ぶ権利とを主張した。そしてこれらの労働者や農民と一緒に無産階級が革命によって得た、そして共産政府の権利がそれを詐偽しとった一切のものを無産階級に返す事を要求した。自由ソヴィエトへの復興、革命的諸思想のための自由の復興を要求した。十月革命における民衆自らの獲得物を、民衆自身にすなわち労働者と農民との団体の手に返す事を要求した。これがボルシェヴィキ政府に対する無政府主義者の唯一の罪悪であったのだ。

しかもこのいわゆる罪悪は、その思想を極めて忠実に守体した無政府主義者にのみでなく、多大の妥協をあえてした無政府主義者にまでも負わされてしまった。（大杉栄著『無政府主義者の見たロシア革命』参照）

しかし僕の目的は、かくしてロシア革命における無政府主義者の功績を並べたてる事ではない。またこの無政府主義者に対するボルシェヴィキ政府の悪辣と残虐とに泣言を並べたてる事ではない。僕はただ、ボルシェヴィズムと無政府主義とがその本質においてどう違うかを事実の上で見たいのだ。そしてその上になお、××。

七

さすがにボルシェヴィキは炯眼《けいがん》であった。彼等は最初から、ボルシェヴィズムと無政府主義とが、本質的に全く相反するものである事を知っていた。社会主義的権力と民衆的革命とが到底一致する事も調和する事も出来ないものである事を知っていた。そして彼等は暫《しばら》くもそれを忘れる事をしないで、実はその敵である無政府主義者や民衆をただ革命の初期における旧勢力の破壊に最も有力なものとして利用する事に努めた。

もちろん無政府主義者と雖《いえど》も十分それは知っていた。先見もしていた。それを先見する事が無政府主義そのものでもあるのだ。けれども彼等は、革命に熱心なあまりに、その利用をむしろ甘んじて受けた。そしてこの「甘んじて」という中には、十月革命当時のボルシェヴィキの全く民衆的な革命的喊声《かんせい》に多少、眩惑された形があったのだ。

この眩惑がまず第一に無政府主義者を誤まらしたのだ。革命の当初最も有力な、武装団体であった無政府主義労働者の軍隊が、共産党の新権力に一指を触れる事もあえてしなかったのみでなく、おめおめと解散されてしまったのもそのためだ。そして無政府主義者は、その間に、労働者や農民の大衆の中に全く反権力的な自由な団体を十分発達させる事に、その力を十分組織し集中する時機を失ってしまった。立ち遅れたのだ。

そして多くの無政府主義者は、この眩惑から目覚めた時、彼等のいつもの悪い癖の夢想と抽象的理論とに走って行った。

僕がマフノ及びマフノウィチナについての最初の信じていい報道を得た時、僕が驚いたのは、ロシアのほとんどあらゆる無政府主義団体がそれに反対しているという事であった。

「アナルコ・シンディカリスト同盟はマフノ運動を無政府主義運動と認めていない。従って決してそれを助けもしなければ、また、それと何の関係もなかった。この同盟はロシアの民衆が革命の用意の出来るだろうその時まで、ボルシェヴィキ政府に対する武力的一揆に反対する。」

「ゴーラス・トルウダ（民声）団もいつもマフノ運動には反対して、厳しくそれを批難し、そして武力的一揆に反対している。」

そしてこの二団体とともに最も革命的でありかつマフノウィチナと密接な関係にあったウクライナのナバト団ですらも、「マフノウィチナは無政府主義運動ではない、そして無政府主義運動はマフノウィチナではない」といっている。（大杉栄著『無政府主義者の見たロシア革命』参照）

僕はその団体の多くがマフノウィチナの教育部や宣伝部で活動したこのナバト団の意見を最も尊重したいと思った。が、それについてですらも、一九二〇年九月のその大会における議論のほんの大体を書いたものしか、僕はフランスで手に入れる事が出来なかった。

マフノウィチナについての大会の討論は、いろんな議論に分れて、だいぶ猛烈なものであったらしい。或る同志は、マフノウィチナはロシアの農民運動に第三革命の曙光を齎らすものだと主張して、その意味の決議の通過を要求し、大会は将《まさ》に、分裂しそうな勢にまで進んだ。そして要するに、マフノの人格には多少同情する事の出来ない点がある事と、マフノウィチナにも多くの欠点がある事とに落ちついたらしい。

しかしそれだけの事なら僕も最初から予想していた。きまり切った事なのだ。

ナバトの大会は、無政府主義的傾向の革命から無政府主義社会に到るまでには、多少の年月のかかる事を肯定している。そしてこの過失と誤謬と不断の完成との時代を、過渡時代という権力的意味の言葉でいい現わす事を避けて、非権力的経験の蓄積時代とか或は社会革命を深めて行く時代とか呼ぶ事に決議している。

この不断の完成を助ける事が無政府主義者の任務なのだ。そしてナバト団の多くの同志はそれをその実際の任務としていたのだ。また、ロシアの各地に散在する無政府主義諸団体からも、政府の迫害から逐われて来た幾多の同志が、そこに彼等の本当の任務を見出したのだ。そしてまたマフノ自身もそのために、「吾々の中に来い。諸君の思想を宣伝し、諸君の理論を適用するために、吾々の中に来い」とその同志を招いたのだ。

『改造』九月号、一九二三年九月一日

解説

解説

いまないものはこの先もない

栗原　康

祝、大杉栄没後一〇〇年。虐殺されたひとなので、こんないいかたをしていいのかわからないが、ともあれキリがいい。おめでとうございます。

もともと、この平凡社ライブラリーには『叛逆の精神——大杉栄評論集』（近藤憲二編、鎌田慧解説）があって、すばらしいセレクト、すばらしい解説の評論集だったのだが、ちょうど品切れに。ということで、あらたに評論集をつくらせていただくことになりました。末永くよろしくお願いいいたします。

しょうじき、今回の依頼がすごくうれしい。わたし自身、大杉の評論集に救われたことがあるからだ。なんどか書いたことがあるのだが、せっかくの機会なのであらためまして。あれは高校生のころ。ひょんなことで、満員電車にのれなくなってしまった。あの非人間的な空間にがまんできなくなったのだ。

毎朝、電車にはのるのだが、混みはじめると途中駅でおりてしまう。あたまではがんばろうとおもっているのに、体が勝手にうごいてしまう。駅のベンチにすわって、電車がすくのをまって学校にいく。そのとき、ひとりだけとりのこされた気がしていた。劣等感のようなものだろうか。

みんながおなじ時間に、おなじ方向にむかって、おなじように駅のホームをあるいていく。それがあたりまえのことなのに、自分だけできないのだ。僕はなんてダメなんだ。そうおもいながらもベンチからうごけない。ヒマだ。

ポッケにいれていた文庫本をひらく。それがたまたま当時、発売されたばかりの『大杉栄評論集』（岩波文庫）だった。ふとまんなかあたりのページをひらくと、「自我の棄脱」という文章が目にはいってくる。衝撃だった。

兵隊のあとについて歩いてゆく。ひとりでに足並が兵隊のそれと揃う。兵隊の足並は、もとよりそれ自身無意識的なのであるが、われわれの足並をそれと揃わすように強制する。

ドンピシャで満員電車のことだとおもった。あきらかに不自然で強制されたうごきのはずなのに、みんなと足並みをそろえているうちに、そうすることがあたりまえになってしまう。だってわたしは学生だから、サラリーマンだからと。

それが人生のレールみたいにおもえた。いい高校にはいって、いい大学にはいって、いい企業にはいって、出世をめざしてもっとはたらく。たとえつらくても、別の道にすすみたくても、将来のためにいまはがまんだ。レールから外れてはいけない。だって、みんながそうしているのだから。

将来をつきつけられると、ひとは他人の奴隷にさせられる。食いっぱぐれたくなかったら、学校のいうことをきけ、会社のいうことをきけ。そんなの強制された自分でしかないのに、みんなと足並みをそろえているうちに疑いをもたなくなってしまう。できない自分に劣等感をおぼえる。

どうしたらいいか。大杉は他人に強いられた自我をむけという。むいて、むいて、むきつづけろと。

百合の皮をむく。むいてもむいても皮がある。ついに最後の皮をむくと百合そのものはなんにもなくなる。

ゼロになる。将来がなくなる。自分が消える。積みあげてきたアイデンティティも肩書きもなんにもなくなる。でも、そこから真の生長がはじまるというのだ。将来のために、いまを犠牲にして生きるのはもうやめよう。いまないものはこの先もない。やるならいましかない、いつだっていましかない。高校生のころから、大杉のことばにシビれっぱなしだ。もっと横道に逸れてゆきたい。

無政府主義者宣言

そういえば、この「自我の棄脱」。大杉自身のはなしでもある。大杉は一八八五年うまれ。うまれは香川県丸亀なのだが、すぐにひっこして新潟県新発田で育つ。お父さんが職業軍人で、陸軍駐屯地がそこにあったのだ。

おさないころから、大杉も立派な軍人になるために修練を積んだ。一四歳のとき、名古屋の陸軍幼年学校に進学。これは軍人になるための超エリートコースだ。だけど、ここで挫折を経験。

根っからの暴れん坊だった大杉。しょっちゅうケンカをしていたら、上官に目をつけられた。それでいじめをうけたのだ。じつは大杉。吃音もちで、とくにカ行がいえなかったという。これが軍人になるためには致命的。

模範的な日本国民であるためには、大きな声ではきはきと日本語を発話できなくてはならなかったのだ。だからちっちゃいころから、お母さんに吃音矯正。「か、か、か」となると、よく叩かれた。DVだ。それでも吃音はなおらない。

これをついてくる上官。月をみあげて、大杉に「あの月はなんだ」ときいてくる。下弦の月だ。だけどしゃべると吃音になってしまう。そしたらぜったいに懲罰だ。ムカついた大杉は「上弦の月ではございません」と返答する。

それをきいた上官は、なまいきをいいやがってといって、やっぱり懲罰。そんなことをくりかえしているうちに、大杉は精神を病んでしまう。授業をサボって、校内を徘徊。あげくのはてに、売られたケンカを買ってでて、首元をナイフで刺されて重傷だ。喧嘩両成敗で退校処分となった。

エリート街道からのドロップアウト。大杉が人生のレールから足をふみはずした。終わった。ゼロになった。実家に帰ってひきこもり。しかしそこから本当の生長がはじまるのだ。外国語が得意だった大杉。東京にでて、東京外国語学校（現・東京外大）に進学。さらに社会主義にふれて、平民社に参加していく。

じゃあ、社会主義のどこに惹かれたのか。非戦だ。とくに幸徳秋水の文章に魅せられた。ときは、日露戦争まっただなか。それまで戦争に反対していたメディアが、いざ開戦すると主戦論に転じていく。日本の将来のために、国民一丸となって協力しよう。お国のために命を捨てろ。増税だっていまはがまんだと。

みんなで足並みをそろえて、おなじ方向にあるいていく。だけど、秋水は空気をよまない。むしろ非戦をとなえて足並みを乱していく。戦争をするというならば、税金なんてはらわない。国民としての自分なんて脱ぎ捨てろ。戦争をするというならば、そんな政府はいらない。無政府主義者宣言。

大杉は、そういう秋水の姿に「自我の棄脱」をみたのだとおもう。だから大杉は社会主義といっても、社会の平等化という発想に惹かれていたのではない。みんなのために、みんなでいっしょに。そういう社会そのものから逸脱していく。

もちろん少年時代は、国民として、軍人として標準的であろうとしていたのだ。しかし、いくらあたまではそうしようとおもっていても、体がいうことをきかなくなってくる。まともになれ。そういわれるほど吃音が激しくなっていく。外へ外へとはみだしていく。そんな自分が秋水の非戦にかさなったのだ。非国民、上等。

そう考えると、大杉はまだ社会主義者を名のりはじめたころから、アナキストみたいなものだったのだとおもう。アナキズムとは「支配されない状態」をめざすということだ。あらゆる支配に反対しよう。人間による人間の支配。そして、それを正当化する社会そのものに中指を突きつけるのだ。

みんなの将来のために、その目的を達成するために、人間が手段のようにみなされる、道具のようにあつかわれてしまう。あたかもその支配がよいことであるかのようにおもわされてしまう。それが社会だというならば、そんなものに従ういわれはない。非戦は反社会のアナキズムなのだ。

理由なきストライキ

その後の大杉栄。一九〇六年三月、東京市電値上げ反対運動に参加。このとき、暴動をあおって逮捕。以降、ちょくちょく警察と乱闘をくりひろげ、監獄にぶちこまれている。だけど、ここで語学の天才ぶりを発揮。せっかくヒマになるのだしと、捕まるたびに一か国語をマスターして帰ってきた。大杉いわく、一犯一語だ。

それからまもなくして、アメリカにわたってアナキストやサンディカリストと交流してきた幸徳秋水が帰国。秋水とともにアナキストを名のりはじめる。ちなみに、サンディカリズムとは労働組合主義のことだ。

労働者の解放は労働者自身の手によるものでなければならない。カネと権力。もてる者がもたざる者を支配するこの資本主義社会。それを変えるのは議会や政党ではない。労働者が自分たちで労働組合をつくり、自分たちの力で直接、資本家をやっつける。直接行動としてのストライキだ。

自分たちの上に支配者はいらない。どんなに善人面をした政治家でも、上にたって命令をしてきたら、それは支配だ。労働組合のなかに指導者がうまれて、命令をくだしてきてもおなじことだ。労働者同士の水平的な関係をつくりあげる。最終的には、その労働運動が母体になってあたらしい社会をきずいていく。

その理念がアナキズムともつうじることから、アナルコ・サンディカリズムとよばれることもある。なのだが、つきつめていくと、アナキズムというのは労働そのものが支配だという思想でもある。はたらきかたをどんなに民主的なものにしても、その根底にあるものが支配なのだ。

はたらかざるもの食うべからず。カネがないと死んでしまう。死の恐怖から、はたらくことを強いられてしまう。はたらかないこと、はたらけないことがダメなことだとおもわされる。

稼ぎがあるか、ないか。カネで人間が選別される。労働が生きる尺度になってしまう。それ自体が支配なのだ。

だから、アナキストとサンディカリストはいっしょにうごくこともあるが、ときに対立もしてしまう。大杉はどうか。「鎖工場」などをよむと、そのストライキ論はアナキズムに力点があったんじゃないかとおもう。

ストライキを決行し、これまで殿さまみたいに威張っていたブルジョアにひと泡ふかせる。大正時代のストライキは、たいていケンカ。なにせ、ブルジョアは警備のためにチンピラを雇い入れているのだ。労働者がもうはたらけないといって生産をとめると、そいつらがつかみかかってくる。そしたらもう乱闘だ。

負けることは負ける。みんな解雇される。「しかし幾度負けてもその喧嘩の間に感じた愉快さは忘れる事が出来ない。意地を張て見た愉快さだ。自分の力を試して見た愉快さだ。仲間の間の本当に仲間らしい感情の発露を見た愉快さだ」（「学術運動理論家 賀川豊彦論 続」）おまえらブルジョアなんかいなくても生きてゆける。自分たちの力でカネでひとを支配できるとおもったらおおまちがいだ。そんな実感が身体にしみわたる。労働そのものからの解放だ。愉快、だいじ。

よりよい労働のために闘うんじゃない。労働者である自分自身を棄脱するのだ。ゼロになるまで、自我の皮をむきまくる。カネのため、将来のため。闘う理由なんてなくなっていく。闘うがゆえに闘うのだ。理由なきストライキ。

はなしをもどそう。アナキストを名のりはじめた大杉。秋水とともに、アナキストの理論家、クロポトキンの著作をよんで紹介していく。だけど、だんだんと権力の弾圧がたかまってくる。一九〇八年、赤旗事件で逮捕。しょうじき、大杉が集会場から赤旗をもって外にでただけなのだが、それでその場にいあわせた社会主義者がいっせいに逮捕。しかも、大杉は重禁固刑、二年半だ。ひどすぎる。

しかし、せっかくできたヒマな時間だ。大杉は千葉監獄で本をよみまくった。ニーチェやベルクソン、ギュイヨーなどの哲学者。それに生物学、人類学、文学と幅ひろくまなんでいる。本人いわく。「僕は自分が監獄でできあがった人間だということを明らかに自覚している」（続獄中記）。

だが、そのかんにも弾圧はエスカレートしていく。一九一〇年、天皇爆殺をはかったとして、幸徳秋水が逮捕。世にいう大逆事件だ。まったく無関係だった人たちもふくめて、一二名が処刑。一二名が無期懲役。いまテロリズムというと、イコール暗殺のことだとおもわれがちだが、ほんらい、国家による人民の恐怖支配をテロリズムという。そういう意味では、この事件はテロリズムだったのだとおもう。

出獄後の大杉は、秋水たちの遺体をひきとり、出棺。その後、遺族たちを見舞ってまわる。くやしいです。それからしばらくしてのことだ。一九一一年三月、大杉は仲間うちの茶話会で、こんな句をうたっている。「春三月縊り残され花に舞ふ」。このメッセージはあきらかだ。いくぜ、秋水。

憑依としての相互扶助

一九一二年一〇月、大杉は盟友、荒畑寒村とともに、雑誌『近代思想』を創刊。大逆事件後、「冬の時代」とよばれていて、それこそ「社会」ということばをつかっただけでも発禁処分。とりわけ、社会主義者は言論活動を自粛させられていたのだが、もうがまんできない。やっちゃえ、栄。

大杉は千葉監獄で身につけたことをつかいながら、「生の拡充」など、自分なりのアナキズム思想を展開していった。どんな思想だったのか。たぶん対決していた思想をはっきりさせるとわかりやすくなるとおもう。社会契約論だ。

たとえば、ホッブスの「リヴァイアサン」。前提とされているのは、個人主義だ。一人ひとりが自己保存の権利をもっている。ひとはみな自分の身をまもり、その力をたかめることができる。だれもが自分の身体や財産を所有することができる。

　家族をこしらえ、土地をふやし、家畜を飼って、ひとを雇い入れる。まわりのものをわがものにして、どんどん所有していく。ちなみに、所有とはそのひとだけがなにをしてもいい、どうつかってもいい、破壊してもいいということだ。支配である。だれもがみずからの支配を拡張していく。

　いってみれば、めちゃくちゃ利己的な世界観だ。極端すぎる。しかしホッブスはこれが自然状態だという。しかも、みんながおなじ権利をもっているのだ、平等だろうと。だけど、そんなことをいっていたら、とうぜん抗争になる。

　あいつは俺の財産を狙っているにちがいない。やられるまえにやってやる。争いが争いをうんでいく。万人の万人にたいする戦争状態。いつ殺されるかわからない。自己保存がおびやかされる。非常事態だ。

　みんなではなしあって「一者」をたちあげる。その「一者」に自分たちの権利をすべてゆだねる。伝説の怪物、リヴァイアサンのような絶対的な権力をあたえるのだ。そのまえではだれもが無力。所有権を侵害すれば、圧倒的な武力で血祭りにあげられる。そのくらいの力で、みんなをまもってもらうのだ。

　これがいわゆる社会契約論だ。「一者」は君主でもいいし、議員でもいい。みんなを統治するガバメント、政府なのだ。だから個人主義というと国家にとらわれず、個人の自由を謳歌しているようにおもえるけどそうじゃない。国家と個人はセットなのだ。むしろ強い個人をもとめるひとほど、強い国家をもとめていく。

それこそ、新自由主義。いまの資本主義のありかたがまさにそうだ。ひとにぎりのカネもちが、カネもうけのためにやりたい放題。そしたら、そのカネもちは自分の財産が狙われているんじゃないかと不安になり、強力な国家権力で保護してもらいたくなる。貧乏人どもが反乱をおこしたら、容赦なくたたきつぶしてくださいと。好きにしたいは、支配されたい。カネもちは政府に首ったけ。

大杉が対決していたのは、この支配ありきの世界観だ。そもそも人間はそんなに利己的なのか。なんでもかんでも所有して、自分の役にたてようとするものなのか。大杉はクロポトキン『相互扶助論』を翻訳し、紹介している。

どんな本かというと、タイトルのとおり、生きとし生けるものの根底には相互扶助があるというものだ。「社会心もしくは道徳の基礎は、相互扶助が各人に与える力の無意識的承認である」(「動物界の相互扶助」)。

ちょっとかたい表現だけど、いっていることは単純だ。目のまえでこまっているものがいれば、無意識的にたすけてしまう。たとえば、道路のまんなかをヨチヨチあるきの子どもがあるいている。すると猛スピードの車。ああっ、とおもったら子どもをたすけにとびだしてしまう。たとえそれで車にひかれたとしても、だ。

意識してやれることではない。この子をたすけたら、親からお礼をもらえるかもしれないとか、そんなことを考えている余裕はない。損得じゃない。見返りをもとめてのことじゃない。損しかしない。というか、その子にもとめられているわけでもないのだ。むしろいきなり変なおっさんに抱きかかえられたと、泣きわめくかもしれない。それでもおのずと身体がうごいてしまう。あたまではやめたほうがよいとわかっている。でも、わかっちゃいるけど、やめられない。自《おの》ずから然《しか》りでうごきだす。あえてホッブスと対比すると、それがアナキストの自然なのだ。

さて、千葉監獄にいたとき、大杉はこの相互扶助をまた別のかたちで実感している。ある日、監房の窓から一匹のトンボがはいってきた。すかさず捕えた大杉。こいつで遊んでやろうとおもって、ヒモでくくりつけようとしたときのことだ。

とつぜん、大杉の身体に電流がはしる。ああっ。ふと窓際まであるいてゆく。そして気づいたら、パッとトンボを外にはなしてやっていたというのだ。このとき、大杉はおもったという。

「俺は捕えられているんだ」(続獄中記)。

それまで虫けらを殺すことなど、なんともおもっていなかった大杉。だけどトンボにふれた瞬間に、捕らえられている自分とかさなってしまう。トンボとわたし。わたしとあなた。境界線があいまいになる。

トンボがわたしに憑依する。自分一人では決して想像もしなかったような感情を抱いてしまう。自分なんてどうなってもいい。トンボのためになにかしてやりたい。いや、これからはトンボだけじゃない。捕らえられたすべてのもののために、なんだってしてやりたいのだ。

大杉はこれをセンチメンタリズムとよんでいる。ホッブスの世界観ではありえないことだろう。近代的な個人。それは主体と客体を区分することからはじまる。わたしがまわりのものを対象として、モノとみなして所有していく。支配するのか、されるのか、そのどちらかであることがあたりまえとされる。

しかし、ひとがほんとうに他者とかかわるとき、主体か客体か、そんな区分はとびこえてしまう。自分が消えて他者に溶けこむ。支配されるわけではない。ときに相手の力をトレースして、わがものにしてしまう。わたしが予期せぬ力に変化してゆく。そこには破滅的なエネルギーもともなうだろう。だって、自己を消滅させようとしているのだから。死んでもいい。いまここで、おのれの生の炎を燃やし尽くす。わたしという個の命をとびこえて、生きる力が爆発してゆく。手に負えない。

わけのわからぬ出会いがあれば、わたしは別の生へと変化していく。わたしはわたしではなく、あなたであり、わたしなのだ。だれだよ。わたしは識別不可能な力になった。何人にも支配されない。自分にも制御できない。いくら抑えようとしても、どこにむかってゆくのかわからない。生きるってなんだ。わたしはつねに集団的であり、予測不可能な力そのものなのだ。

大杉いわく。生は「活躍」である。「一榴弾が爆発して、それがまた粉々の榴弾になるのと同じ意味のものである」（「創造的進化」）。爆発した火の粉が火種となって、またあらたな爆発をうみだしていく。生の炎を撒き散らす。どんどん生きる力がひろがって、どんどん手に負えなくなっていく。生の拡充なのだ。

たぶんコロナ禍に、わたしたちはこの光景をなんども経験しているのではないだろうか。経済がとまる。行政もなにもしてくれない。でもまわりのだれかがこまっている。そしたら損得なんて考えている余地はない。われしらず手をさしのべる。どんなにちっぽけでもそうやって生きのびたのではないかとおもう。

海外の映像をみていると、ふとだれかがもっている食料を公園にもってくる。そしたら、われもわれもと食料、衣服、医薬品をもってくる。ブースをたてて、平等にわけあう。ムダに歌をうたいだす。手をさしのべているのは、自分なのかだれかなのか。見分けがつかなくなってくる。だれかのために、なにかせずにいられないのだ。憑依としての相互扶助。生きる力がどんどん拡張していく。

大杉にとっては、一九一八年の米騒動がそうだったのだとおもう。米の値段があがって、みんな食えない。たすけなくっちゃ。そしたら身体が勝手にうごいてしまう。女性たちが米屋をおそう。奪いとった米をみんなでわけあう。やがて警察が取り締まりにやってくる。気づけば、見知らぬだれかが警察にボコボコにされて、はがいじめにされている。

そんな光景をみてしまったら、もう捕えられているのがわたしなのか、あなたなのか、見分けがつかなくなってくる。これまでマジメに生きてきたわたし。社会という監獄に捕えられてきたこのわたし。だけどそんな自分はかなぐり捨てた。警察に体当たり。捕えられたすべてのもののために、なんだってやってやるんだ。それをみて、だれかがまた突進してくる。われもわれもとつづいていく。共鳴につぐ共鳴がまきおこる。コンスピラシー。もはや暴動だ。

大杉にとって、生の拡充とは相互扶助であり、暴動そのものでもあったのだとおもう。自分の殻をかちわって、識別不可能な力に変化していく。生の炎を撒き散らす。いままさに、支配なき共同の生をいきている。ほんのいっときのことなのかもしれない。その酔いはすぐにさめてしまうかもしれない。だけど、身体にしみついたその酔いを決してわすれはしない。この酔い心地だけは。

熱くレボリューション

さて、大杉は一九一六年、恋愛スキャンダルで仲間から孤立してしまう。大杉は自由恋愛論者。いまだとふつうにポリアモリーなのだが、つきあっていた女性のひとり、神近市子に刺され、それみたことかと大バッシング。不道徳だ、悪魔だとののしられた。そんなの上等だよという伊藤野枝と暮らしはじめる。

しばらく孤立していたふたり。そこに既存の道徳なんて気にしない、アナキストのゴロツキたちがあつまってくる。村木源次郎、久板卯之助、和田久太郎、近藤憲二だ。本書には、その仲間たちにふれた文章も収録してあるので、ぜひよんでみてほしい。この人たち、おもしろすぎるよ。

一九一九年一〇月、大杉はこの仲間たちとともに労働運動にかかわっていく。そして当初、大杉はロシアでおこった革命を評価し、共産主義者、ボルシェビキとも共闘をはかる。ともに権力と闘っていこうと。

しかし、ロシアにいったアナキストたちから、現状がつたわってくるにつれて、大杉は態度をあらためていく。ボルシェビキがつくりあげたソヴィエト政権。いまは非常事態だといって、戦時共産主義をとなえる。じっさい革命後、他国から攻めこまれるし、内乱もおこってピンチではあったのだ。

だが、やることがひどすぎる。農村からは強制的に食糧徴発。嫌がれば、反乱分子として処刑していく。タンボフ県では、村ごと毒ガスで虐殺された。あるいは軍事物資をつくるために、工場もフル稼働。

仕事がきつすぎてストライキでもうてば、やっぱり反乱分子として処刑される。労働者を救えといって、革命軍として名高いクロンシュタット水兵が異議をとなえれば、それも反乱分子。攻めほろぼされた。これをうけて、大杉はいう。

いわゆるボルシェビキ革命の進行は、主として「革命は如何にして為されてはいけないか」を、僕らに教えた、ということだ。

（「無政府主義者の見たロシア革命」自序）

ボルシェビキはいう。われわれは全労働者を代表し、革命政権を樹立した。だが、いまやその政権が危機にひんしている。これは全労働者の命が危険にさらされているということだ。いまは戦争状態。だから、なにをやってもいいと。共産党の指導部。その命令には絶対服従だ。

従わなければ、圧倒的な暴力で血祭りにあげられる。革命政権はリヴァイアサンなのだ。わたしはこれが現代の国家権力の先駆だとおもっている。コロナ禍に、世界中の権力者は気づいてしまった。危機は最大の支配原理であると。いまは非常事態だ。そう宣言すれば、憲法だって失効させられる。

みんなの命の名のもとに、人権侵害だってしかたがない。ロックダウンも生体認証アプリもなんでもあり。戦争状態が日常化している。例外状態が常態化している。かつては革命政権が強引にやっていたことを、いまでは現政権がさもあたりまえであるかのように実行できるのだ。

どうしたらいいか。大杉はウクライナのアナキスト、ネストル・マフノの運動を紹介した。ウクライナから旧ロシア帝国の軍隊をおいだし、他国の侵略とも戦った。そしてボルシェビキにも抗っていく。

どんなに危機的な状況にあっても、自分たちのなかに権力をたてない。農村にわけいって、政治も経済も軍事もすべて自治でやってのける。敵兵が攻めてきても、農民をひきいてゲリラ戦で撃退していく。われわれに支配者などいらないのだ。

もっと海外のアナキストと意見交換がしたい。一九二二年一二月、大杉は国際アナキスト会議に出席するために、日本脱出。上海にわたり、中国のアナキストと交流した。偽造パスポートをつくってもらって、いざフランスへ。だがいってみたら、延期になってなかなか会議がひらかれない。

なんだかな。イライラする大杉。一九二三年五月、パリ郊外でひらかれたメーデーに参加。がまんできなくなって、熱く演説をしたら私服警官に捕まり、強制送還されてしまった。やっちまったな。

帰国後、大杉はアナキストの仲間たちと会合をかさね、これからの運動のありかたを模索していた。そのやさきのことだ。一九二三年九月一日、関東大震災。そして九月一六日、伊藤野枝、甥っ子の橘宗一とともに、甘粕正彦ひきいる憲兵隊に連行され、三人ともに虐殺されてしまった。

どうやら、なぐる、けるのリンチをうけ、さいごは首を絞められて殺されたらしい。遺体は古井戸に放りこまれた。三八歳、昇天だ。群れからはなれっぱなし、ずっとはなれっぱなし、遠まわりのくそったれの人生。あばよ。

さて、まとめよう。わたしたちはいま、はじめに支配ありきの世界観を生かされている。国家にまもってもらわなければ、生きていけない。戦争、災害、パンデミック。もはや非常事態を宣言すれば、なんでもありだ。権力が絶対になる。人間が奴隷になる。もうがまんできない。

というか、支配されないと生きていけないだなんて、そんなの非現実的じゃないか。虐殺、原発事故。災害時になにがおこっても、国家は民衆をまもってくれない。国家がまもるのは、国家の体面だけなのだ。それなのにみんなで足並みをそろえて、みんなでおなじ方向にあるいているうちに、それが現実になってしまっている。

どうしたらいいか。大杉は足をふみはずす。どんどん横道に逸れていく。似たような連中がつぎつぎにあらわれる。予期せぬ出会いがうまれ、予期せぬ行動がうまれていく。相互扶助、ストライキ、大暴動。個人の利害をとびこえて、生きる力を爆発させる。わたしがわたしではなくなっていく。支配なき共同の生に変化していく。

バラバラ、ガラガラ、ドシン。これまであたりまえだとおもっていた世界観にひびわれがおこる。夢をみながら現実をあるく。本来、革命とはそういうものなんじゃないだろうか。政府を転覆して、政権をにぎるのが革命じゃない。無政府の事実をそのまま生きる。権力をとらずに世界を変える。大杉が身をもっておしえてくれた。爆発だ、爆発だ、爆発だ、革命だ。いくぜ、熱くレボリューション。

大杉栄関連年表

※本年表は、『大杉栄全集』（ぱる出版、二〇一五年）などをもとに編集部が作成した。

西暦	年号	年齢	主な事項
一八八五	明治十八	〇歳	一月十七日、香川県丸亀町に父・大杉東、母・豊の長男として生まれる 生後まもなく、父の転勤によって東京に引っ越す
一八八九	明治二十二	四歳	四月、麹町の富士見小学校附属幼稚園に入園 父の転勤にともない、新潟県新発田本村（現・新発田市）に引っ越す 北蒲原中学校（現・新発田高校）を二年で修了
一八九九	明治三十二	十四歳	名古屋陸軍幼年学校に入学
一九〇〇	明治三十三	十五歳	妹のあやめが生まれる
一九〇一	明治三十四	十六歳	四月、素行不良により、禁足処分を受ける 秋、同級生と格闘し、重傷。新潟の自宅に戻る 十一月、退学処分
一九〇二	明治三十五	十七歳	上京し、東京学院五年級受験科に入学する 母が亡くなる 順天中学五年に編入学する 足尾銅山鉱毒事件をきっかけに社会問題に関心を抱く 『萬朝報』で幸徳秋水らの反戦論文を読む

一九〇三	明治三十六	十八歳	東京外国語学校（現・東京外国語大学）仏語選科に入学 同年、平民社を初めて訪問する
一九〇四	明治三十七	十九歳	日露戦争が始まり、父が出征する 夏期休暇に名古屋での活動を『平民新聞』に報告、同紙を手伝うようになる
一九〇五	明治三十八	二十歳	東京外国語学校を卒業する
一九〇六	明治三十九	二十一歳	二月、日本社会党が組織され、日本社会党に入る 電車賃値上げ反対のデモに参加し、逮捕される 釈放後、堀保子と結婚する エスペラント語学校を設立し、講師を務める この頃より無政府主義に関心を寄せるようになる
一九〇七	明治四十	二十二歳	三月、クロポトキンの『青年に訴う』を訳載したことにより、追加起訴 五月、巣鴨監獄に入獄（十一月に出獄）
一九〇八	明治四十一	二十三歳	屋上演説事件により、巣鴨監獄に入獄する 出獄後、赤旗事件で千葉監獄に入獄する
一九〇九	明治四十二	二十四歳	父が亡くなる
一九一〇	明治四十三	二十五歳	千葉監獄から東京監獄へ移送。獄中で幸徳秋水らを見掛ける 十一月、東京監獄より出獄 十二月、堺利彦らの売文社に参加
一九一一	明治四十四	二十六歳	大逆事件の死者の遺体を引き取る 「春三月縊り残された花に舞う」の句を残す
一九一二	明治四十五	二十七歳	社会運動家の荒畑寒村と月刊誌『近代思想』を創刊
一九一三	大正二	二十八歳	七月、荒畑寒村とともにサンディカリズム研究会を発足

			この年、肺結核が再発する
一九一四	大正三	二十九歳	九月、『近代思想』を廃刊し、月刊『平民新聞』を発刊する 『生の闘争』、ダーウィンの『種の起原』の翻訳を刊行 この頃、伊藤野枝と出会う
一九一五	大正四	三十歳	三月、『平民新聞』廃刊 十月、『近代思想』を復刊するものの、すぐさま発禁となる 秋頃、新聞記者の神近市子と親しくなる
一九一六	大正五	三十一歳	一月、第二次『近代思想』が廃刊となる 二月、伊藤野枝と結ばれる 四月、伊藤野枝が辻潤宅を出て、大杉と同棲を始める 十一月、神近市子に刺される（日蔭茶屋事件） 堀保子と離婚 『労働運動の哲学』などを発表する
一九一七	大正六	三十二歳	一月、伊藤野枝と本郷菊坂町菊富士ホテルに滞在 九月、長女の魔子が生まれる ロマン・ロランの『民衆芸術論』、クロポトキンの『相互扶助論』などの翻訳を発表
一九一八	大正七	三十三歳	一月、『文明批評』を創刊、労働運動研究会を始める 五月、和田久太郎、久板卯之助と『労働新聞』を発行するものの、発禁となる 大阪・釜ヶ崎で起こった米騒動に加担する
一九一九	大正八	三十四歳	他の演説集会を乗っ取る「演説会もらい」を盛んに行う 第一次『労働運動』を発刊する 印刷工組合など労働運動の支援などに積極的に参加する 五月、尾行してきた巡査を殴り、十二月に豊多摩監獄に入獄する 十二月、次女のエマが生まれる 『獄中記』を記す

一九二〇	大正九	三十五歳	三月、出獄 六月、『労働運動』が第六号で廃刊 八月、共同戦線的グループ「日本社会主義同盟」の創立準備に参画する 十月、上海へ密航し、コミンテルンの極東社会主義会議に出席 十一月下旬、帰国 十二月、堺利彦らとともに「日本社会主義同盟」の創立準備会を開き、結成を宣言する 『クロポトキン研究』『乞食の名誉』、クロポトキンの『一革命家の思い出』の翻訳など
一九二一	大正十	三十六歳	一月、第二次『労働運動』を創刊 二月、聖路加病院に入院する 三月、三女が生まれる（エマと名づけられる） 十二月、近藤憲二、和田久太郎、伊藤野枝と第三次『労働運動』を創刊 『正義を求める心』など
一九二二	大正十一	三十七歳	二月、北九州の八幡製鉄所で演説会 六月、四女のルイズが生まれる 九月、日本労働組合総連合の創立大会に出席するため大阪に向かう 十二月、国際無政府主義大会に出席するため渡航 『二人の革命家』（伊藤野枝との共著）、ファーブルの『昆虫記』を翻訳
一九二三	大正十二	三十八歳	二月、フランスに到着。各地のアジトを転々とする 五月、パリ郊外のサン・ドニのメーデーで演説し、逮捕され、ラ・サンテ監獄に入獄 七月、帰国する 八月、長男のネストルが生まれる 九月一日、関東大震災が発生 同月十六日、野枝、甥の橘宗一とともに虐殺される 十一月、甘粕正彦大尉らに最高懲役十年の軍法会議判決が下る 十二月六日、谷中斎場で合同葬儀 『日本脱出記』、『自叙伝』

〔著者〕
大杉栄（おおすぎ・さかえ）
1885年香川県生まれ。社会運動家、アナキスト。東京外国語学校仏語科卒業。幸徳秋水らの影響を受け、社会運動に参加。『近代思想』や『文明批評』などを創刊し、無政府主義を論じた。主な著書に『自叙伝』など。クロポトキンやダーウィンの著書の翻訳も手掛けた。1923年9月1日の関東大震災に際し、伊藤野枝、甥の橘宗一とともに虐殺。享年38。

〔編者〕
栗原康（くりはら・やすし）
1979年埼玉県生まれ。早稲田大学大学院政治学研究科博士後期課程満期退学。東北芸術工科大学非常勤講師。専門はアナキズム研究。主な著書に『大杉栄伝』（角川ソフィア文庫）、『村に火をつけ、白痴になれ』（岩波現代文庫）、『はたらかないで、たらふく食べたい』（ちくま文庫）、『アナキズム――一丸となってバラバラに生きろ』（岩波新書）など。

平凡社ライブラリー 950
大杉栄《おおすぎさかえ》セレクション

発行日…………2023年8月4日　初版第1刷

著者……………大杉栄
編者……………栗原康
発行者…………下中順平
発行所…………株式会社平凡社
〒101-0051　東京都千代田区神田神保町3-29
電話　(03)3230-6579〔編集〕
(03)3230-6573〔営業〕

DTP・印刷・製本……藤原印刷株式会社
装幀……………中垣信夫

ISBN978-4-582-76950-0

平凡社ホームページ https://www.heibonsha.co.jp/